Dagmar Chidolue wurde 1944 in Sensburg/Ost-
preußen geboren und lebt heute in Frankfurt am
Main. Sie zählt zu den namhaftesten Kinder- und
Jugendbuchautorinnen und wurde bereits mehrfach,
u. a. mit dem Deutschen Jugendliteraturpreis, aus-
gezeichnet.

In der Fischer Schatzinsel sind von Dagmar Chidolue
auch »Millie in Paris« (Bd. 80295), »Millie in Italien«
(Bd. 80296), »Millie auf Mallorca« (Bd. 80297),
»Millie feiert Weihnachten« (Bd. 80335), »Millie
in London« (Bd. 80366), »Millie geht zur Schule«
(Bd. 80367) und »Millie auf Kreta« (Bd. 80537)
erschienen.

Gitte Spee wurde 1950 in Surabaya/Indonesien geboren und lebt seit ihrem 12. Lebensjahr in den Niederlanden. Sie studierte an der Gerrit Rietveld Akademie in Amsterdam und illustriert seit 1983 nicht nur holländische, sondern auch deutsche, englische und französische Kinderbücher, für die sie schon zahlreiche Preise erhalten hat.
In der Fischer Schatzinsel hat Gitte Spee auch die anderen Abenteuer von Millie illustriert.

Unsere Adresse im Internet: www.fischerschatzinsel.de

Dagmar Chidolue

Millie in New York

Mit Bildern von Gitte Spee

Fischer Taschenbuch Verlag

Fischer Schatzinsel
Herausgegeben von Eva Kutter

Veröffentlicht im Fischer Taschenbuch Verlag,
einem Unternehmen der S. Fischer Verlag GmbH,
Frankfurt am Main, Mai 2006

Lizenzausgabe mit freundlicher Genehmigung
des Cecilie Dressler Verlags, Hamburg
© Cecilie Dressler Verlag, Hamburg 2003
Satz: Pinkuin Satz und Datentechnik, Berlin
Druck und Bindung: Clausen & Bosse, Leck
Printed in Germany
ISBN-13: 978-3-596-80647-8
ISBN-10: 3-596-80647-X

Nach den Regeln der neuen Rechtschreibung

Inhalt

Dabbeldu, dabbeldai

In den Osterferien soll es nach New York
gehen. New York ist in Amerika. Man spricht
dort Amerikanisch. Deswegen sagt man auch
nicht: *Neff Jork*, sondern *Nu Jork*.
Millie kann von vielen Sprachen ein bisschen.
Italienisch: *Uno, due, tre*, wenn ich haue, tut's
dir weh. Englisch geht so: *Hello* und *Baibai*.
Französisch ist am leichtesten. *Bonbon Schuh-
schuh*, das heißt *Guten Morgen*.
Amerikanisch gefällt Millie aber am besten.
Es ist fast englisch. *Hello* und *Baibai!*
Ihr Lieblingslied ist ein amerikanischer Song:
Dabbeldu, dabbeldai. Wenn Millie den Song
hört, muss sie mitsingen. Dann hat sie einen
Ohrwurm im Kopf: *Dabbeldu, dabbeldai*.
Amerika ist ziemlich weit weg. Man kann
nicht einfach mit dem Auto hinfahren. Das
geht gar nicht. Man würde vorher ins Wasser
plumpsen. Da, wo die Erde zu Ende ist und

das blaue Meer auf dem Globus eine dolle
Kurve macht. Im Westen. Im Atlas ist an
dieser Stelle die Seite zu Ende und man muss
weit vorblättern.

»Wie weit weg ist Amerika?« Millie macht
sich darüber viele Gedanken.

»Fünfzig Kilometer«, sagt Kucki.

Kucki ist Millies beste Freundin. Beide gehen
in die erste Klasse. Sie können sogar neben-
einander sitzen und manchmal dürfen sie

auch schnattern. Bis es Frau Heimchen zu
viel wird. Dann zieht sie ihre Augenbrauen
hoch und schaut beide streng an. Besonders
aber Millie. Die kennt das schon: Sie soll
mehr Respekt vor ihrer Lehrerin haben. Ja,
gut, Millie hält dann auch für ein Weilchen
ihre Klappe.

Aber jetzt muss Millie Frau Heimchen doch
was fragen. Denn das mit den fünfzig Kilo-
metern nach New York ist wohl etwas knapp.
Fünfzig Kilometer kann ja nicht um den
halben Globus herum sein! Fünfzig Kilometer
ist vielleicht von hier bis zu Tante Gertrud.
Eine Lehrerin muss so was wissen.

»Also, Frau Heimchen?« Millie fragt sie mit
Klingklang in der Stimme.

Frau Heimchen seufzt. »Was ist denn, Millie?
Du bist vielleicht eine Quasseltüte.« Sie hat
ihre Augen verdreht und guckt verzweifelt
zur Zimmerdecke.

Ach, Frau Heimchen hat gar nicht richtig
zugehört. Millie hat nicht gequasselt. Millie
hat was Wichtiges gefragt! Jetzt muss sie ihre
Frage also noch einmal stellen.

»Wie weit weg von hier ist denn New York?«

»New York?«, wiederholt Frau Heimchen.

Ja, Manno. Hat sie denn keine Ohren?

Millie nickt jedoch brav und wartet. Aber
vielleicht weiß Frau Heimchen gar nicht, wie
weit entfernt es ist. Dann hat Millie sie aber
erwischt!

»Fahrt ihr in den Ferien nach New York?«,
will Frau Heimchen wissen.

Ach, sie will bloß ablenken, aber das gilt nicht.

»Wie weit?«, hakt Millie nach. »Fünfzig Kilometer?«

»O nein«, sagt Frau Heimchen ziemlich
entrüstet. »Aber lass mich mal rechnen.«

Man kann sehen, wie Frau Heimchen
angestrengt nachdenkt. Sie bewegt die
Lippen, ohne dass ein Pieps aus ihrem Mund
flutscht. Frau Heimchen rechnet, klar.

Alle Kinder gucken sie gespannt an. Endlich
sagt die Lehrerin: »Ungefähr … sechstausend
Kilometer.«

Kucki kann ihre Enttäuschung nicht ver-
bergen. Ihr entfährt ein jämmerlicher Laut.

Millie reicht die Antwort von Frau Heimchen
nicht. »Ungefähr oder genau?«, fragt sie.

»Ungefähr genau«, sagt Frau Heimchen.

Kucki muss sich geschlagen geben.

Millie auch. Lehrerinnen wissen einfach alles.

»Was fällt euch denn zu New York ein?«,
fragt Frau Heimchen und unterbricht Millies
Gedanken. »Na, Millie?«

Hach. Immer muss Frau Heimchen Aufgaben
stellen. Vielleicht macht sie das aus Rache.
Weil Millie sie auch getestet hat.

Aber *New York* ist besser als das *Einmaleins
mit Sieben*. Deshalb sagt sie schnell: »Wolkenkratzer.« Viel mehr weiß sie nicht von New
York. Allen anderen aus der Klasse fällt auch
nichts ein. Also muss Frau Heimchen selber
etwas erzählen.

New York ist nicht einmal die Hauptstadt von
Amerika. Trotzdem ist es ist viel berühmter.
New York ist nämlich sozusagen die Hauptstadt von der ganzen Welt. Und *Welt* heißt
auf Amerikanisch *Wörld. Wööörld.*

Ach, du Schreck. Da fällt Millie doch noch
was zu New York ein. Etwas ganz Furcht-
bares! Sofort sieht Millie die schlimmen
Bilder aus dem Fernsehen vor sich. Und da
fragt Frau Heimchen auch schon: »Wisst
ihr denn, was mit dem World Trade Center

passiert ist? Mit den Zwillingstürmen des Welthandelszentrums?«

Alle Kinder in Millies Klasse haben die schlimmen Bilder von der Katastrophe in New York im Fernsehen gesehen. Wie die zwei Türme zusammengebrochen sind.

Das kann man nicht vergessen. Millie will aber nicht dran denken. Sie will keine Angst haben, dass so etwas Schreckliches noch einmal passiert.

Und was fällt Frau Heimchen noch zu New York ein? Millie hat gar nicht mehr aufpassen können. Was hat Frau Heimchen da gerade gesagt? Miss Libby? Das hört sich interessant an.

Millie hat eine Puppe, die Miss Mandarella heißt. *Miss* heißt *Fräulein*. Also, was für ein Fräulein soll Miss Libby sein? Doch bevor Millie nachhaken kann, klingelt es zum Schulschluss und Frau Heimchen wünscht allen Kindern schöne Ferien.

Ab nach Hause! Da kommen Millie andere Gedanken in den Kopf und die kleine Schwester in die Quere. Beim Mittagessen soll Millie ihr aus der Buchstabensuppe die

passenden Nudeln rausangeln und den
Namen der Schwester auf den Tellerrand
legen. Die Schwester freut sich riesig.
»Tudel!«, schreit sie, aber das ist falsch. Millie
ist nicht so blöd wie Trudel, die immer das
R in ihrem Namen weglässt. Millie kann ja
schon richtig schreiben.
»Tru-del!«, verbessert sie die Schwester.
»Sag mal: Tru-del!«
»Tu-del!«
Wann wird sie es denn endlich kapieren?
Nach dem Essen wird es ein paar Minuten
unangenehm, denn Trudel soll Mittagsschlaf
halten. Sie ist ja erst zwei Jahre alt.
Trudel will aber nicht schlafen. Sie denkt
wohl, sie würde was verpassen.
»Tudelnichheiamachn«, jammert sie.
»Nichheiamachn.«
»Tudeldochheiamachn!« Damit kann Millie
die Schwester tüchtig ärgern. Bis Mama der
Sache ein Ende setzt.
»Schluss jetzt!«, sagt sie, stopft Trudel ihren
grünen Schnuller ins Mäulchen und trägt sie
ins Bett.
Millie braucht nicht zu schlafen. Aber sie soll

sich ausruhen, auch wenn sie heute wegen des
Ferienbeginns keine Schularbeiten machen
muss.

Ausruhen heißt nicht, dass man gar nichts
machen darf. Gar nichts machen ist ja langweilig. Millie kann also lesen oder Bilder
begucken.

Sie schaut sich einen Bildband über New York
an. Viele Hochhäuser sind dort zu sehen,
die Wolkenkratzer nämlich, voll gestopfte

Straßen und
riesige bunte
Reklameschil-
der. Und eine
Menge Leute,
die aber alle
bestimmt nicht
Miss Libby
heißen, nein,

so sehen die nicht aus. Nicht mal die Frauen.
Millie schaut auch das Inhaltsverzeichnis
hinten im Bildband durch. Da ist eine Wörter-
liste. Die fängt mit A an und hört mit Z auf.
Bei M steht Manhattan, das ist der
berühmteste Stadtteil von New York, das

weiß Millie schon. Mänhättän. Außerdem
findet Millie unter M neunmal Museum,
du meine Güte, das ist ein bisschen zu viel
Museum.

»Mama?«, fragt Millie so leise es geht, um
die Schwester auf keinen Fall aufzuwecken.
»Mama, wegen New York – kennst du eine
Frau mit M am Anfang? Eine Miss?«

»Na klar«, sagt Mama. »Miss Marilyn.
Marilyn Monroe. Ihr Bild hängt in einem
New Yorker Museum. Das schauen wir uns
ganz bestimmt an.«

»Die meine ich nicht«, sagt Millie, aber leider
ist die Schwester wach geworden und Mama
hat keine Zeit mehr zu erklären, warum man
diese Marilyn unbedingt anschauen sollte.

Und wer zum Teufel ist Miss Libby?

Millie wird mal ihre besten Freunde Gus und
Wulle fragen. Vielleicht wissen die das.

Sie trifft die beiden nebenan auf dem Mäuse-
grundstück am Sandloch.

»Misslibby?«, brüllt Gus. »Na klar weiß ich,
was Misslibby ist. Misslibby ist Dosenmilch,
das weiß doch jeder Döskopp. Oder?« Er
kickt Wulle mit dem Ellenbogen in die Seite.

17

Wulle hat heute seinen guten Tag. Er ist nicht automatisch auf Gus' Seite.

»Ihr seid beide blöd«, sagt er. »Es heißt gar nicht Miss Libby. Es heißt Miss Piggy!«

»Du spinnst ja wohl«, sagt Gus. »Miss Piggy ist doch nicht aus New York! Miss Piggy ist aus dem Fernsehen! In New York lebt King Kong, das ist ein Riesenaffe und der ist echt!«

Gus formt aus seinen Händen Klauen und will Millie damit erschrecken. Aber so leicht schafft er das nicht.

»Das hast du dir ausgedacht«, sagt Millie und schaut Gus voller Verachtung an.

»Nein, das mit King Kong ist wahr!«, schreit Gus. »King Kong lebt in New York, der ist nicht aus Stoff, der ist lebendig. Er klaut Weiber und verschleppt sie auf Wolkenkratzer. Pass bloß auf, dass er dich nicht entführt.«

»Ich bin gar kein Weib«, sagt Millie. »Ich bin eine Miss.«

»Alle Frauen sind Weiber«, sagt Gus. »Und wenn ihr mitkommt, zeige ich euch King Kong, den haben wir nämlich auf Video.«

Millie und Wulle laufen sofort mit zu Gus nach Hause.

Die Mama von Gus will gerade zur Post gehen. »Kann ich euch ein Weilchen alleine lassen?«, fragt sie.

»Jaja«, sagt Gus. »Dürfen wir Video gucken, Mama?«

»Du musst mir schon sagen, welchen Film ihr schauen wollt«, sagt die Mama.

»Heidi«, antwortet Gus prompt.

»In Ordnung«, sagt die Mama.

Aber sie sehen sich natürlich gar nicht *Heidi* an. Gus legt den Film mit *King Kong* in das Videogerät. Er spult die Kassette vor, ganz prima kann er mit der Fernbedienung umgehen, so gut, wie es zu Hause nur Millies Papa kann. Und der lässt Millie nicht an den Recorder ran. Höchstens darf sie mal mit dem Finger auf ein Knöpfchen drücken. Aber das macht ihr nichts aus, sie hat sowieso keinen Kinderfilm auf Video, nicht mal *Heidi*.

Gus lässt die Kassette mit *King Kong* fast bis zum Ende vorlaufen, es ist nur Krisselkrassel zu erkennen. Der Film saust bis Kilometer hundertdreiundzwanzig, dann schaltet Gus auf langsam um. Und dann sieht Millie, dass Gus nicht gelogen hat: King Kong ist in New

York. Millie erkennt die Stadt sofort. Diese Wolkenkratzer! So viele und so hohe auf einmal gibt es nur in New York.

Auf einem der Hochhäuser sitzt King Kong, der Riesenaffe. Er grapscht tatsächlich mit seinen Klauen nach einem Weib. Ach, *Weib* sagt man ja nicht, *Miss* muss man sagen. Die Miss fällt fast vom Dach. King Kong ist jedoch nett, er hält sie fest. Hubschrauber kreisen um King Kongs Schädel. Die Polizei unten auf der Straße lauert auf den Affen. Die vielen Sheriffs wollen ihn fangen und fesseln und einsperren, armer King Kong! Millie kriegt eine Gänsehaut, als sie die vielen Polizisten sieht und den armen King Kong. Wahrscheinlich geht der Film schlecht für ihn aus, aber das wird sie nicht mehr erfahren. Denn die Mama von Gus kommt zurück. Sie fängt fürchterlich an zu schimpfen, weil sie nicht *Heidi* schauen, und schnappt sich die Fernbedienung. *Plopp* ist der Film zu Ende und das Videogucken auch. Ruhe im Kasten. Wenn heute noch was passieren soll, dann müssen sie wieder rausgehen, bei Gus zu Hause ist dicke Luft.

Also traben sie lieber wieder zum Sandloch, alle mit eingezogenen Köpfen, obwohl nur Gus Dummheiten gemacht hat. Millie und Wulle haben ja bloß zugeschaut.

»Ich kann's dir ja nur raten«, sagt Gus. Er schaut keinen an, aber er schiebt Millie den Ellenbogen in die Seite, deshalb weiß sie, dass sie gemeint ist. »Wenn du nicht willst, dass King Kong dich frisst, dann fahr besser nicht nach New York.«

»Vielleicht haben sie King Kong schon längst gekriegt«, wirft Wulle ein. »Dann braucht sie ja keine Angst zu haben.«

»Aber vielleicht auch nicht«, sagt Gus. »Ich muss es wissen, ich habe den Film bis zu Ende gesehen, schon ein paar Mal.«

Wulle meint: »Es ist ja nur ein Film.« Er schaut Millie mit flatternden Lidern an.

»Aber ein echter«, sagt Gus, nickt bestätigend und sieht Millie scharf von der Seite an. »Das mit King Kong ist wirklich in New York passiert. Alle blöden Weiber sind dort geliefert.«

Millie schnappt ein wenig nach Luft. »Meinst du etwa mich damit?«

»Wen sonst?«, antwortet Gus. »Ist hier noch ein anderes Weib in der Nähe?«

»Du bist ganz schön …«, sagt Millie und sucht nach einem passenden Schimpfwort, »… ganz schön …«

»Was denn?«

»Ganz schön … dabbeldu, dabbeldai.«

»Das gibt es gar nicht!«, schreit Gus und lacht sich kaputt. »Das ist Quatsch und ausgedacht.«

»Das ist amerikanisch«, sagt Millie, dreht sich einfach um und geht kerzengerade davon. Gut, dass Mama gerade mit Trudel aus dem Haus kommt und nach Millie ruft. Reise-unterlagen abholen!

Mama hat das tollste Hotel von New York gebucht. Mama ist aufgeregt. »Wenn das klappt …«, sagt sie. »Wenn das klappt … Das Waldorff Astoria ist das berühmteste Hotel in Manhattan. Da wohnen eigentlich nur stink-reiche Leute.«

»Sind wir auch stinkreich?«, fragt Millie. Sie findet, es ist ein falsches Wort. Wer reich ist, muss duften und nicht stinken.

»Nein, mein Schatz«, sagt Mama. »Wir sind

nicht reich. Aber es gab einen Sonderpreis für das Hotel im Katalog.«

Ach ja. Millie erinnert sich. »Wenn das mal nicht ein Druckfehler ist«, hat Papa gesagt, als er hörte, dass Mama das Wald-Doof-Hollodria gebucht hat.

»Aber es steht doch hier schwarz auf weiß«, hat Mama geantwortet.

Wenn das klappt ... Wenn das klappt ...

Unterwegs zum Reisebüro erklärt Mama, warum das Hotel so berühmt ist: »Frank Sinatra hat da gewohnt, Clark Gable und all die anderen Filmstars.«

Millie kennt nicht Fränkie Nase und auch nicht Klack Hebel. Aber sie kennt andere berühmte Leute.

»Und was ist mit Mary Poppins? Und Pippi Langstrumpf und Karlsson vom Dach? Die sind doch auch berühmt.«

Mama hört nicht zu. »Elizabeth Taylor und Marilyn Monroe«, fährt sie fort.

Schon wieder diese Marilyn!

Aber was ist mit Miss Libby?

Ach, da ist ja schon das Reisebüro. Die Frau hinter dem Schreibtisch ist sehr damit

beschäftigt, auf die Tasten eines Computers
zu hacken.

Vor dem Schreibtisch stehen zwei Sessel.

Niemand sitzt dort.

Dann sitzt Mama dort.

Millie peilt den zweiten Sessel an.

Trudel ist anderweitig beschäftigt, denn
mitten im Laden auf einem runden Tischchen
steht ein Korb mit bunten Ostereiern. Die
sehen gut aus. Eingewickelt in buntes Gold-
und Silberpapier. Bestimmt ist was Leckeres
drin.

Haselnusscreme.

Kokosraspeln.

Eierlikör!

Jeder, der ins Reisebüro kommt, schaut als
Erstes zum Osterkorb. Aber keiner traut sich,
in den Korb zu greifen. Selbst Millie nicht.
Vor einem Jahr … ja, da hätte sie noch hin-
gelangt. Aber jetzt fühlt sie sich schon ein
wenig zu groß für solche Sachen, obwohl sie
so was eigentlich immer noch aus vollstem
Herzen machen möchte.

Trudel ist nicht zu groß. Sie marschiert direkt
zum Tisch und schnappt sich ein Ei aus dem

Osterkorb. Und noch ein Ei und noch ein Ei,
sie hat gar nicht genug Hände.

»Tz, tz, tz«, macht Millie, schaut die Frau am
Computer an und schüttelt dann mit einem
missbilligenden Blick auf Trudel den Kopf.
Die Frau macht ihre Lippen schmal. Sie hört
aber nicht auf zu tippen.

Na schön, Millie wird Trudel auch nicht mehr
ermahnen. Eigentlich wünscht sie sich, dass
Trudel richtig hinlangt und sämtliche Taschen
voll stopft, die Anoraktaschen und die Hosen-
taschen. Mit der Verteilung der Ostereier
werden sie sich später bestimmt einig. Kein
Gezanke! Nur die mit Eierlikör wird Trudel
ganz bestimmt nicht essen dürfen.

Tipp, tipp, tipp, macht die Computerfrau.
Mama räuspert sich ungeduldig. Es dauert
aber noch ein Weilchen, bis die Frau sehen
und hören kann.

»Bitte?«, sagt sie zu Mama, immer noch mit
schmalen Lippen.

»Wir wollten nur unsere Reiseunterlagen
abholen«, sagt Mama.

»Wohin?«

»Nach New York«, sagt Mama.

Die Computerfrau greift in eine Schublade und legt ihr einen Stapel Papiere vor die Nase.

Da fällt Mama in Ohnmacht. Die Computerfrau hat ihr nämlich auch die Rechnung vorgelegt.

»Wie viel?«, fragt Mama laut und gleich noch mal: »Wie viel?«

Um ehrlich zu sein, Mama fällt gar nicht in Ohnmacht, sie tut nur so, es sieht aber echt aus. Wenn Mama zu Hause Ohnmacht vorführt, bekommt Trudel immer einen Schrecken und hört sofort auf, Dummheiten zu machen. Sie patscht Mama mit beiden Händen ins Gesicht, damit Mama die Augen, die sie erst verdreht und dann fest geschlossen hat, wieder aufmacht.

Auch jetzt legt Trudel zwei von den schönen Gold- und Silbereiern erschrocken zurück in den Osterkorb. Trudel hat Mamas Ohnmacht missverstanden.

Mama hat sich gegen die Rückenlehne vom Stuhl fallen lassen. Jetzt richtet sie sich wieder auf. Ihre Augen sind blitzblank, als sie zum dritten Mal fragt: »Wie viel?«

Die Computerfrau sagt zuerst gar nichts.

Sie zieht nur ihre Augenbrauen hoch. Dann versucht sie mit honigsüßer Stimme Mama die Rechnung zu erklären.

Nun, es ist so, dass Papa Recht gehabt hat. Das mit dem Wald-Doof-Hollodria ist ein Fehler gewesen. Die Preise im Katalog sind falsch gedruckt worden. Da kann man nichts machen.

Doch, man kann was machen. Man kann in ein anderes Hotel umziehen. Und genau das beschließt Mama. Während sie umbucht und später eine andere, viel billigere Rechnung bekommt, die Mama mit ihrer Plastikkarte bezahlt, sammelt Trudel die zurückgelegten Ostereier wieder ein. Millie hilft der Schwester schnell ein bisschen. Die Computer-frau schaut gar nicht hin. Sie ist jetzt mit Mamas Wünschen beschäftigt. Dabbeldu, dabbeldai.

In welchem Hotel werden sie denn jetzt wohnen? Zeig mal, Mama.

Es ist ein blaues Hotel. Es hat vierunddreißig Stockwerke, ein Wolkenkratzer mitten in Nu Jork. Armer King Kong wird doch wohl nicht auch dort wohnen?

Dicke Trulla
und rote Marie

Millie ist schon einmal mit dem Flugzeug
geflogen, nach Kreta. Sie ist also auf dem
Flughafen schon fast ein alter Hase. Gus und
Wulle müssten sie hier mal sehen. Wie gut
Millie Bescheid weiß! Sie kennt sich aus. Wo
die Toiletten versteckt sind und die Gepäckwagen stehen, mit denen man wunderbar
Roller fahren kann, und wo man eine Cola
trinken könnte.
Überall in der Abflughalle muss man Schlange
stehen. Vor dem Klo, auf das Trudel dringend
muss. Und vor dem Automaten, von dem
Mama sich eine Tasse Kaffee holt. Sie sagt,
sie würde sonst noch einschlafen!
Der Kaffee dampft und duftet.
»Lecka«, sagt Trudel, aber sie darf noch
keinen Kaffee trinken. Millie dürfte ja
vielleicht, weil sie groß genug ist. Oder? Aber
sie macht sich gar nichts aus Kaffee. Pah!

Mama trinkt ihren Kaffee mit Pusten und
Schlürfen. Sie soll sich mal beeilen! Vor
den Flugschaltern müssen sie nämlich auch
Schlange stehen. Und was ist, wenn alles
dauert und dauert und das Flugzeug schon
in den Startlöchern steht? Dann können sie
sich New York von der Backe putzen. Oder
in die Haare schmieren. Millie liebt solche
Ausdrücke. Die lernt man in der Schule.
Nicht bei Frau Heimchen, klar, aber auf dem
Schulhof in den Pausen.
Eine besonders lange Schlange hat sich dort
gebildet, wo eine Frau mit einem Fernsehapparat die Koffer durchleuchtet. Das ist
interessant. Man kann auf einem Bildschirm
sehen, was die Leute alles mit sich schleppen.
Die Fernsehfrau
guckt genau hin.
Es gibt nämlich
Sachen, die man
nicht mit ins Flug-
zeug nehmen darf.
Der Fernseh-
apparat verwandelt
das Zeug in den Koffern. Sie sehen nicht

mehr echt aus, sondern wie Dinge auf einem Gemälde, wie moderne Kunst. Sie sind rot und blau und orange gefärbt, ganz hübsch sieht das aus.

Millie ist sehr neugierig. Sie würde zu gerne wissen, was man nicht mitnehmen darf.

Sie streckt ihre Nase vor, um genau mitzubekommen, was sich alles in den Koffern verbirgt.

»Millie!«, ermahnt Papa.

Darf man nicht mal gucken? Mensch, man kann fast nie tun, was man will. Aber man kann denken, was man will.

Vor Millie ist eine dicke Trulla an der Reihe. Die sieht vielleicht aus! Sie hat goldene Locken wie aus gedrehtem Engelshaar.

Das geht ja noch. Aber der Rest!

Die dicke Trulla trägt eine knallenge, weiße Hose. Das Hinterteil von der Trulla ist so groß und rund, dass es aussieht wie ein mächtiger Heißluftballon.

Der Ballon ist prall gefüllt. Bestimmt hat keine Unterhose mehr hineingepasst. Dann müsste man ja einen Wulst sehen, dort, wo aus dem Ballon zwei fette Stampfer wachsen.

Oben, wo der Ballon aufhört, am Bündchen
der Hose, ist eine Goldkette befestigt. Wozu
soll die gut sein? Damit man die Trulla
festhalten kann, wenn sie abhauen will?
Im Koffer von der dicken Trulla stecken
lauter orangefarbene Schachteln. Millie kann
das dort auf dem Fernsehapparat sehen.
Smartie-Röllchen?
Oder hat die Tante den Koffer voller Locken-
wickler, weil sie sich nachts das Engelshaar
aufdrehen muss?
Millie muss einen Giraffenhals machen, um
alles gut sehen zu können.
»Millie!«
Schon wieder Papa.
Ist ja gut.
Jetzt kommt der Koffer von der Trulla aus
der Fernsehkiste geschossen. Sie macht schon
einen Schritt, um abzuhauen. Da ruft die
Fernsehfrau: »Halt!« Denn die dicke Tante
hat noch eine Tasche vor dem Bauch hängen.
Bestimmt hat sie da was Verbotenes drin.
Bevor die Trulla entwischt, greift Millie zu.
Gut aufgepasst! Dafür ist doch die goldene
Kette an der Ballonhose da.

Halt!

Millie zieht wie an einer Hundekette. Die Trulla ist geliefert. Sie bleibt wie angewurzelt stehen. Dann dreht sie sich um, so gut es geht. Sie ist ziemlich erschrocken, aber als sie Millie erblickt, legt sie den Kopf weit in den Nacken und lacht schallend los.

Millie ist ziemlich verdattert. Sie hat gedacht, die dicke Trulla wird böse sein, aber sie ist nicht nur eine dicke, sondern auch eine nette Trulla. Sie wackelt extra ein bisschen mit ihrem riesigen Popo.

Millie lässt die Kette los. Die klirrt ein wenig, als die Trulla ihre ausladenden Hüften tanzen lässt. *Klingelingeling*. Millie muss auch schrecklich lachen.

Doch Mama und Papa verstehen heute keinen Spaß. Sie haben beide rote Köpfe bekommen und entschuldigen sich bei der dicken Tante. »Aber das macht doch nichts«, sagt die nette Trulla.

Genau!

Nun wird ihre Handtasche untersucht. Sie hat keine verbotenen Gegenstände dabei. Das ist schade. Jetzt weiß Millie immer noch nicht,

welche Dinge nicht erlaubt sind. Ja, Messer und Scheren, so was schon, aber was ist zum Beispiel mit Cola-Flaschen? Bei Mama und Papa jedenfalls ist Cola verboten. Die haben sie auf keinen Fall eingepackt.

Gleich sind ihre Koffer dran. Und wahrscheinlich werden Millies und Trudels Rucksäckchen auch durchleuchtet. Das wird spannend.

Millie hat einen karierten Rucksack mit echten Lederriemen und Metallschnallen. In der Innenseite gibt es ein Geheimfach. Da ist etwas drin, über das Millie nicht reden soll. Geld.

Das Geld ist für den Notfall. Es sind fünf Dollar. Dollars sind amerikanisches Geld. Die Scheine sehen nicht besonders echt aus, aber man kann damit in New York wirklich einkaufen. Hmhm.

Millie hat noch eine Trinkflasche in ihrem Rucksack und ein Päckchen Papiertaschentücher. Einen Zettel mit ihrer Adresse. Und einen zweiten Zettel mit der Anschrift vom blauen Hotel in New York. Sie hat auch noch ein paar Pfefferminzchen dabei. Und was man sonst noch so braucht. Kaugummi. Eine Haarklemme. Ein Comic-Heftchen. Obwohl auch das schon halb verboten ist. Papa mag es nicht, wenn Millie immerzu Comics liest. Ist aber nur Mickymaus. Die ist auch amerikanisch.

Trudel hat noch keinen richtigen Rucksack. Nur so eine Babytasche, die man über die Schultern ziehen kann. Die Tasche sieht aus wie ein Hase mit langen Schlappohren. Trudel mag Hasen. Über alles auf der Welt. In der Hasentasche von Trudel steckt auch eine Trinkflasche. Ein großes Taschentuch aus Stoff, das Papa mal gehört hat, und ein Schnuller. Jedoch kein Geld.

Wo ist denn überhaupt die kleine Schwester geblieben?

Trudel ist weg.

»O mein Gott«, jammert Mama. »Diese Kinder!«

Millie findet nicht, dass sie damit gemeint sein könnte. Sie ist doch ganz brav. Und wenn sie Trudel gleich zurückbringt, werden Mama und Papa stolz auf Millie sein.

Wo könnte Trudel denn sein?

Hat sie sich auf das Rollband gelegt und
ist wie ein Koffer in der Versenkung
verschwunden?
Nein.
Versteckt sie sich etwa unter dem Schalter-
tisch bei den blauen Fräuleins, die so schöne
glänzende Strümpfe tragen?
Nein.
Holt sich Trudel vielleicht aus dem
schicken Laden dahinten eine teure Flasche
Parfüm?
Bestimmt nicht. Sie hat doch gar kein Geld.
Auch nicht für den Notfall.
Mama sieht schon aus wie kurz vorm Heulen
und Papa finster wie ein Unwetter.
Ach, da vorne ist Trudel ja. Sie ist mit ihrer
Hasentasche auf dem Rücken zum Kaffee-
automaten gedackelt und will sich Kaffee
holen.
Das ist aber gefährlich! Kaffee ist heiß. Man
kann ihn verschütten. Und man darf an der
Tasse nur nippen, sonst verbrüht man sich
die Schnute. Außerdem kann man danach
nicht schlafen. Das wäre eine Katastrophe!
Man kann Trudel nämlich nur aushalten,

wenn sie zwischendurch hin und wieder pennt.

Millie sieht, wie Trudel es Mama, die sich vorhin Kaffee am Automaten besorgt hat, nachmachen will. Schon steht die Schwester auf Zehenspitzen. Sie hat ihre Pfote hochgestreckt und will sich eine Tasse vom Stapel nehmen.

Da brüllt Millie los. Schnell hat sie noch ihre Hände wie einen Trichter um den Mund geformt.

»Truuudell!«

Die Schwester zögert einen Moment lang, als müsste sie überlegen, ob sie auch wirklich gemeint ist. Und Millie sieht genau, wie ihr der Schalk im Nacken sitzt, denn über Trudels Gesicht hat sich ein breites Grinsen ausgebreitet. Millie ist sich sicher, dass die Schwester genau weiß, dass sie jetzt ungezogen ist. Sie denkt, es ist Schabernack, aber dass es höllisch gefährlich ist, das weiß sie nicht.

Da flitzt Millie los. Trudel sieht sie kommen. Na, da muss sie doch glatt abhauen, am besten in Richtung der Toiletten. Sie weiß genau, wo die Klos zu finden sind. Trudel ist nicht dumm. Sie ist inzwischen leider auch ein alter Hase.

Aber eben nur ein kleiner alter Hase. Viel kleiner als Millie und viel langsamer.

Millie hat die Schwester eingeholt, fängt sie ein und schleppt sie zurück zu Mama und Papa. Trudel lacht, sie denkt, es ist bloß ein Spiel und Mama und Papa können ihr nicht richtig böse sein. Millie ist für Papa und Mama jetzt sowieso die große, liebe Tochter. Das hat sie sich auch so vorgestellt.

Ist es denn hier bei der Fernsehfrau endlich vorangegangen? Ja, ihre Koffer rollen gerade durch die Kiste. Sie sehen auf dem Bildschirm klasse aus. Man kann Trudels Latschen erkennen und Papas Rasierapparat.

Millies und Trudels Rucksäcke müssen auch durchleuchtet werden. Von den Ohren an Trudels Hasentasche ist nichts zu erkennen. Auch nicht von den Taschentüchern in Millies Rucksack. Aber die Trinkflaschen sehen prima aus. Sie gefallen jedoch nicht der Fernsehfrau. Sie macht ein furchtbar ernstes Gesicht. Bestimmt kann sie keinen Spaß verstehen.

»Was ist denn das?«, fragt sie.

»Bratwürstchen«, sagt Millie.

Die Frau wirft nur einen kurzen Blick auf
Millie. Aber der hat es in sich, der ist so böse,
dass es Millie fast umhaut. Fast!

Und Papa knurrt: »Kannst du nicht mal den
Schnabel halten?«

Millie kann schon, aber sie will eigentlich
nicht. Es ist langweilig, wenn nichts Lustiges
passiert. Wenigstens sind sie ein Stück vorwärts gekommen. Nun dürfen sie kilometer-
lang Rollbahn fahren und landen in der Halle,
von wo aus man die Flugzeuge sehen kann.

Die dicke Trulla mit dem goldenen Engelshaar hat es sich nah der Ausgangstür auf drei
Stühlen bequem gemacht. Mit ihrem Hinterteil hat sie zwei Stühle belegt und ihre Füße
besetzen den dritten.

Die Trulla winkt Millie fröhlich zu, und
Millie würde gerne sofort hinhüpfen und ihr
einen Stuhl mopsen. Nur so aus Spaß. Aber
Millie muss sich im Moment benehmen. Sie
darf sich keine Extratouren leisten, Mama
und Papa sehen noch ziemlich geschafft aus.

Endlich dürfen sie ins Flugzeug.

Millie will am Fenster sitzen. Sie schaut
Mama fragend an. Mama sieht Papa an. Der
nickt zurück. Mama nickt dann auch. Da ist
die Sache geritzt.

Gleich gibt es Geschenke. Das ist so in einem
Flugzeug. Aufgepasst!

Da kommt auch schon die Stewardess.

»Möchtest du ein Geschenk?«

»Ja, aber kein blödes«, sagt Millie. Es gibt
nämlich auch richtig doofe Geschenke.

»Millie«, sagt Papa, »du sollst doch immer
nett sein.«

»Ich bin immer nett«, sagt Millie. »Nur nicht
bei blöden Geschenken.«

Papa zieht wie zur Entschuldigung die
Schultern hoch, und Millie darf sich ein
gutes Geschenk aus der Wunderkiste, die die
Stewardess ihr hinhält, aussuchen. Trudel
natürlich auch. Sie greift mit beiden Händen
hinein. Das darf man nicht! Das ist auch nicht
nett.

Dann werden Tüten mit Maxi-Mix verteilt.
Wenn man es richtig macht, gibt es einen
Knall beim Aufplatzen der Tüte.

Maxi-Mix sind knusprige Fischlein und

Brezelchen. Dann noch Dreiecke, die wie Katzenköpfe aussehen, aber mit einem extra langen Ohr.

»Was möchten Sie trinken? Cola?«

Freie Auswahl!

»Cola?«, wiederholt Mama. »Das lassen wir mal.«

»Das machen wir mal«, sagt Millie und Trudel brüllt: »Lecka.«

»Was haben Sie sonst noch?«, fragt Papa sanft. Er sieht aus, als strenge er sich an, gute Laune zu bekommen.

Es gibt alles an Bord. Scharfe Sachen: Whisky, Wein und Bier. Und was Normales: Fizzel-wasser, Zitronenlimonade. Und Eistee.

Millie blickt sich um. Zwei Reihen hinter ihr hat die dicke Trulla Platz genommen. In Wirklichkeit hat sie gar nicht genug Platz auf einem Sitz. Eine Pobacke hängt in der Luft und ein Bein musste sie in den Gang strecken.

Die Trulla hat was Tolles zu trinken bekommen, das sieht klasse aus, knallrot und mit Eiswürfeln drin. Sie prostet Millie von weitem zu.

»Was ist denn das?«, fragt Millie und zeigt mit ihrem Arm zur Trulla hin.

»Bloody Mary«, sagt die Stewardess und lächelt fein.

»Was ist das?«, fragt Millie rasch. *Blödie Märrie?*

Papa erklärt das. »Es ist Tomatensaft mit Wodka. Nichts für Kinder.«

»Wodka?«

»Schnaps«, sagt Papa. »Und übersetzt bedeutet *Bloody Mary* so was Ähnliches wie *Rote Marie.*«

Millie hätte gedacht, dass das tolle Getränk einen gemeineren Namen haben würde. Was mit Blut drin. Aber vielleicht hat Papa sie auch angekohlt.

Die Rote Marie gehört wahrscheinlich nicht zu den normalen Getränken, aber bestimmt zu den interessanten.

»Ich nehme eine Rote Marie«, sagt Millie. Die Stewardess rührt sich nicht. Millie weiß schon: Man kriegt nicht, was man will, dazu muss man erst erwachsen sein.

Die Stewardess schüttet jedoch Cola ins Glas. Vielleicht ist es ein Versehen. Es ist nur ein kleines Glas und es ist auch nur halb voll. Dagegen können Mama und Papa nun wirklich nichts sagen. Manchmal kriegt man doch, was man will.

Und dann sind sie schon in der Luft, wum, mit dreißigtausend Ws und Us und Ms, wwwuuummm.

Der Flugkapitän, quasselquasselquassel, erzählt, dass New York sechstausendeinhundertsechsundneunzig Kilometer entfernt ist. Mensch, sieh mal an, da hat Frau Heimchen ja fast genau richtig gerechnet!

Was muss Millie denn noch wissen, bevor sie in New York landen?

»Das mit der Uhrzeit«, sagt Papa und erklärt es so: »Nicht überall auf der Welt ist es gleich spät. Die Zeit hängt von der Sonne ab.«

Millie weiß Bescheid: »Auf der einen Seite der Welt ist schon Mittag, wenn die Leute auf der anderen Seite noch pennen.«

»Genau«, sagt Papa. »Und weil die Sonne im Osten von Amerika später aufgeht als hier, ist es dort sechs Stunden früher.«

»Wir werden sozusagen jünger, wenn wir landen«, meint Mama.

Ob das stimmt?

»Das holen wir aber wieder auf, wenn wir zurückfliegen«, sagt Papa.

»Wenn wir aber immer weiter fliegen …«, überlegt Millie laut, »… und vor der Sonne weglaufen, dass sie uns nie erreicht … was dann? Werden wir dann immer jünger und jünger und jünger?«

»Nein«, sagt Papa. »Es gibt eine Datumsgrenze. Dort beginnt automatisch der nächste Tag.«

Schade. Millie würde gerne mal ausprobieren, wie es ist, wenn sie vielleicht wieder vier Jahre alt wäre oder so klein wie Trudel und noch einen Schnuller bräuchte.

Es hat aber auch sein Gutes, älter und größer zu werden. Man kann schreiben und lesen. Ach ja, in Millies kariertem Rucksack ist auch ein kleines grünes Adressbüchlein. Da hat sie die Anschriften von Kucki und Gus und von Wulle aufgeschrieben. Dann steht da noch, wo Frau Morgenroth wohnt und Oma Heinemann und Tante Gertrud. Millie hat sogar die Adresse vom Uhu hineingekritzelt. Der Uhu gehört nicht zu Millies Freunden.

Das mit dem Uhu hat mit Liebe zu tun. Aber nur auf der Seite vom Uhu! Der ist nämlich hinter Millie her. Sie hat seine Adresse bloß deshalb ins grüne Büchlein geschrieben, weil der Uhu so gejammert hat. »Bitte, bitte, bitte«, hat er gejault. Meine Güte, da ist Millies hartes Herz ein wenig geschmolzen. Und dann hat Millie noch ins Buch gekritzelt, wo Wölfchen wohnt. Sie haben Wölfchen auf Kreta kennen gelernt. Und seine Mama und seinen Papa.

Wenn Millie an Wölfchen denkt, wird ihr immer ein bisschen weich zumute. Aber nicht wegen Liebe. Mit ihm ist auch nichts! Er erinnert sie aber an ein Hündchen, das man immerzu streicheln muss.

Wölfchen ist Millies Schlafgedanke von hier bis New York. Da ist doch schließlich nichts dabei!

Räuber Nick

Nach der Landung auf dem Flughafen von New York laufen alle Fluggäste in unterschiedliche Richtungen. Jeder muss sich jetzt um sich selber kümmern und die dicke Trulla winkt Millie ein letztes Mal freundlich zu.
Was für eine riesige Ankunftshalle das ist, in der sie sich nun in einer Reihe hinter vielen anderen Fluggästen anstellen müssen. Die Schlange ist so lang, dass die Leute viele Zickzacks machen müssen, damit überhaupt alle Platz in der Halle haben. Ein schwarzer Mann passt auf, dass man die Zickzacks auch an der richtigen Stelle macht.
Es geht nur langsam vorwärts. Millie hat genug Zeit, sich in Ruhe umzusehen.
Wie sehen denn die Leute in Amerika aus?
Na, die eine Hälfte ist schwarz und die andere Hälfte ist weiß. Oder so. Schwarz gilt auch für braun und weiß für rosa. Wozu beige

gehört, ist Millie nicht ganz klar. Ist aber auch schnurzpiepegal.

Zack, zack, zack, so funktioniert das hier in New York. Hier anstellen, Miss, jetzt drei Schritte nach vorn, Miss, nun um die Ecke herum, Miss, Pässe vorzeigen, alles in Ordnung, Miss, zack, zack, zack. Man kommt gar nicht dazu, irgendwelche Fisimatenten zu machen.

Mama bedankt sich jedes Mal artig. »Thank you, thank you.«

Sobald Mama *thank you* gesagt hat, antwortet man ihr: »You are welcome«, oder auch nur: »Welcome.«

»Was brabbeln die immer?« Millie wundert sich. »Wellenkamm?«

Mama beugt sich zu ihr runter. »Das heißt *Herzlich willkommen,* und damit meinen die Leute, dass sie gerne behilflich sind.«

Und warum heißt Mama hier auch *Miss?* Mama ist doch gar kein Fräulein.

»Vielleicht, weil alle Frauen für jünger gehalten werden wollen?«, meint Papa. »*Fräulein* hört sich doch jünger an als *Frau.*«

»Die Amerikaner sind einfach höfliche

Menschen«, sagt Mama. Man merkt ihr an, dass sie gerne eine *Miss* ist.

»Ich möchte lieber ein bisschen älter sein«, sagt Millie. »Zwölf Jahre, das wäre gut.«

»Ja, dann könntest du wenigstens tragen helfen, Miss Millie«, sagt Papa. Er hat gerade ihre Koffer vom Rollband gehievt und sieht sich nach einem freien Gepäckwagen um. Keiner zu sehen.

Und wie soll es dann weitergehen?

»Sicherlich fährt ein Bus in die Stadt hinein«, sagt Mama. »Oder können wir die U-Bahn nehmen? Ich werde mal dort drüben nachfragen. Millie, passt du auf meine Tasche auf?«

»Wellenkamm«, sagt Millie. *Herzlich willkommen, ich bin gern behilflich.*

Papa stellt beide großen Koffer neben Millie. Er hat gerade einen freien Gepäckwagen entdeckt.

»Kannst du auch mal für einen Moment auf Trudel achten?«, fragt er. »Ich bin sofort zurück.«

Millie ist zwar ein wenig mulmig zumute. Es sieht ja fast so aus, als würde ihre ganze

Familie verschwinden. Sie sagt aber tapfer:
»Wellenkamm.«

Papa streicht ihr kurz über den Kopf. Er läuft
einen Kilometer nach rechts und Mama ist
einen Kilometer nach links verschwunden.
Millie hat Miss Trudel fest im Griff. Mamas
Tasche umklammert sie mit der anderen
Hand. Jetzt könnte jemand noch die Koffer
klauen, aber die sind schön schwer.

Da kommt ein schwarzer Mann in roter
Uniform auf Millie zu und beugt sich zu
ihr herab. Er sagt etwas zu ihr. Aber was?
Alle Wörter, die Millie auf Englisch kennt,
auf Amerikanisch, sind ihr aus dem Kopf
geflogen, *Guten Morgen, guten Tag*. Nur
Auf Wiedersehen fällt ihr ein, *Bai, bai*. Das
würde Millie jetzt am liebsten sagen, aber das
wäre bei den höflichen Amerikanern doch
sehr unhöflich, oder nicht? Also, was will der
Uniformmann von ihr?

Darf man hier nicht stehen bleiben?

Ist es in Amerika verboten, alleine auf kleine
Schwestern aufzupassen?

Oder ist irgendetwas fällig? Dollars vielleicht?
Und würden ihre fünf Dollar denn ausreichen?

»Miss Mami!«, brüllt Millie nach links in die
Richtung, in die Mama verschwunden ist.
»Miss Mami!«
Mama kommt schon angerannt. Auch Papa
flitzt mit dem Gepäckwagen um die Ecke.
»Was ist los?« Mama schaut Millie und den
Uniformmann fragend an.
Was erzählt der da?
Oh, er wollte nur die beiden kleinen Kinder
nicht alleine lassen, und jetzt erklärt er ihnen
auch noch den Weg zum Bus, der nach New
York hineinfährt, nach Mänhättän, zu den
Wolkenkratzern. Er läuft sogar voraus, damit
sie nicht vom Weg abkommen. Und die
ganze Zeit über lächelt er.
Mama sagt: »Danke schön« und Papa sagt:
»Danke schön.« Thank you, thank you.
»Herzlich willkommen«, sagt der schwarze
Mann, *Wellenkamm, das mach ich doch gern,
es ist mir eine Ehre, das ist doch ein Klacks für
mich.* Du meine Güte, was ist der nett.
Man kann vom Flughafen aus nicht nur
mit dem Bus oder mit der U-Bahn zu den
Wolkenkratzern fahren, sondern auch in einer
dicken Raupe.

Es gibt weiße und schwarze Raupen, das sind
Autos, die sind so lang, wie man es sich nicht
vorstellen kann. Sie heißen Apfelsine oder so
ähnlich. »Mama?«
»Limousine«, sagt Mama.

In einer Raupenlimousine können zehn
Leute sitzen oder sogar mehr. Oder nur ein
Präsident. Man kann drinnen Tee trinken
oder Whisky und sich wie ein König fühlen.
»Ich möchte gerne mit einer Raupe fahren«,
sagt Millie. »Ich möchte nämlich auch mal
Whisky trinken.«
»Tinken«, jammert Trudel.
Mama und Papa haben nie Durst. Wie
machen die das bloß? Sie sind immer erst
dann durstig, wenn was zum Trinken in der
Nähe ist.

Papa und Mama wollen aber keinen Whisky trinken. Obwohl sie das dürften! Sie entscheiden sich dafür, mit einem Minibus in die Stadt reinzufahren, da passen neun Leute rein, wenn sie sich quetschen.

Im Minibus sitzt man ziemlich hoch und kann während der Fahrt über alle Autos hinwegschauen und in der Ferne sogar die Wolkenkratzer erkennen. Die kratzen – das sieht Millie ganz genau – tatsächlich an den Wolken. Die Spitzen der Hochhäuser sind nicht zu sehen, die sind dick umhüllt von weißen und grauen Schleiern. Ach du liebe Zeit, dann könnte sich ja sogar King Kong dort oben verstecken, ohne dass es einer merkt. Er springt einfach von Wolkenkratzer zu Wolkenkratzer, wie es ihm gefällt, und schnappt sich eine junge Miss, genau wie Gus es erzählt hat. Millie wird doch doll aufpassen müssen.

Auch wenn die Hochhäuser in den Himmel ragen, sehen sie von weitem noch klitze-klein aus wie Streichhözer. Sie sind grau und silbern und braun oder auch ein bisschen blau.

Aber New York sieht hier, wo sie jetzt mit dem Bus entlangfahren, noch ganz normal aus. Die meisten Häuser schauen aus wie bei Millie zu Hause, allerdings sind sie mit Brettern verkleidet, nur die Türen sind frei gelassen und die Fenster. Und sogar Geranien gibt es in Amerika.

Millie hat immer gedacht, New York ist New York, aber das stimmt nicht. New York ist riesig groß und hat viele verschiedene Ecken. Das New York mit den Wolkenkratzern ist nur das Zipfelchen in der Mitte, Mänhättän. Papa meint, es ist bestimmt ein indianisches Wort.

Ist das so, Mama?

»Manhattan?«

Ja, Mama.

Mama muss in ihrem Reiseführer blättern.

»Interessant«, sagt sie dann. »Es ist tatsächlich indianisch und heißt so was wie der Ort, an dem man die Indianer reingelegt hat.«

»Wie denn?«

»Man hat ihnen bestimmt Feuerwasser zu trinken gegeben«, meint Papa.

»Feuerwasser?«

»Schnaps.«

»Waren sie dann besoffen?«

»Wahrscheinlich.« Mama nickt. »Und irgendwann hat man die Indianer schließlich umgesiedelt. Die mussten also alle in eine andere Gegend ziehen. Ich fürchte, wir werden keinen von ihnen zu Gesicht bekommen.«

Das wäre schade. Außerdem ist es gemein, dass sie die Indianer reingelegt haben, findet Millie. Sie weiß, dass viel Schnaps nicht gut für einen ist. Man eiert dann so rum und macht Blödsinn. Wenn Millie sagt, dass sie auch mal probieren möchte, will sie Mama und Papa nur ärgern.

Während der Fahrt nach Mänhättan schaut sie aber trotzdem vom Bus aus in alle Autos hinein. Tatsächlich, kein Indianer zu sehen. Auch kein Cowboy. Und King Kong lässt sich ebenfalls nicht blicken.

Plötzlich sind die Wolkenkratzer überall, nach einer kurzen Fahrt durch einen Tunnel. Sie wachsen vor Millie und neben Millie und hinter Millie in den Himmel. Sie kommt sich auf einmal vor wie ein Zwerg. Die werden hier doch hoffentlich normale Stühle und Tische haben? Und normale Betten? Und was ist mit normalen Pommes? Normalen Hamburgern? Ach, die könnten ruhig etwas größer sein.

Millie weist mit dem Finger nach draußen, nach oben, und sie fragt die Schwester: »Siehst du das, Miss Trudel?«

Trudel sagt: »Tudelkeimiss«, aber sie lehnt sich weit über Millie und schaut angestrengt aus dem Fenster. Sie wird gar nicht wissen, was Millie meint, dass man nämlich das obere Ende von New York gar nicht sehen kann, die Wolken haben die Häuser einfach abgeschnitten.

Dort ist das blaue Hotel. Alles aussteigen! Millie legt den Kopf weit in den Nacken.

Der Busfahrer schüttelt den Kopf und lacht. »Rubberneck«, sagt er.

Räuber Nick? Ist das ein Schimpfwort?

»Er meint, dass du ein Gumminacken bist«, erklärt Mama. »Die richtigen New Yorker lachen immer über die Besucher der Stadt. Die sind daran zu erkennen, dass sie den Kopf

55

weit in den Nacken
legen, als wäre ihr Hals
aus Gummi.«
»Selber Räuber Nick«,
sagt Millie und knirscht
mit den Zähnen. »Und
du auch, Miss Trudel.«
Trudel steht auf dem
breiten Bürgersteig und
verliert fast die Balance,
als sie versucht, bis zu den obersten Stock-
werken hinaufzuschauen. »Tudelkeihäuber«,
sagt sie.

»Doch Räuber«, sagt Millie.
»Schluss«, sagt Papa und: »Ich glaube, die
Kinder müssen schnellstens ins Bett.«
Das ist gemein. Was denkt Papa sich denn
für blöde Sachen aus? Es ist doch heller Tag
draußen.
»Für uns ist es bereits Mitternacht«, sagt
Mama.
Ach ja, es ist ja eigentlich schon sechs
Stunden später. Brav geht Millie mit der
kleinen Schwester an der Hand ins Haus.
Im blauen Hotel liegt überall ein rot-blau

gemusterter Teppich. Wenn man genau
hinschaut, dann sieht man zwischen dem
Krisselkrasselmuster lauter kleine Affen-
köpfe. Im Zimmer angekommen, hockt
sich Millie sofort auf den Boden und zeigt
Trudel, woran man die Affen erkennt. Es
sind Paviane, das kann man genau sehen.
»Weißt du, Trudel, das sind die mit den roten
Hintern.«
Papa und Mama stehen am Fenster und
schauen hinaus. Sie wohnen im dreiund-
dreißigsten Stock.
Mama ist sehr aufgeregt. »Guckt mal!
Wir können direkt bis zum Times Square
schauen!«, ruft sie. »Der Platz … die riesigen
Reklametafeln … wie das blitzt und blinkt.
Und hier … links … das wird das Rocke-
feller Center sein, und da drüben … ganz
rechts … der Fluss dort, das ist der Hudson
River, zum Greifen nah, nun guckt doch
mal!«
Aber Millie und Trudel haben jetzt keine
Zeit, sich um den Glitzerplatz, das Rockyfell oder den Hatschi-Fluss zu kümmern,
sie suchen das Zimmer nach Pavianen

ab. »Appe«, sagt Trudel, wenn sie einen gefunden hat, »Appe.«

Sie haben schon achtundvierzig Paviane entdeckt, mindestens, und bei Nummer zweiundneunzig ist Trudel eingeschlafen, einfach so, mitten auf dem Affenteppich. Mama trägt sie vorsichtig auf die Schlafcouch. Wenn man unter der Sitzfläche an einem Griff zieht, kommt eine zweite Matratze zum Vorschein. Trudel wird oben schlafen und Millie unten.

Draußen wird es nun doch allmählich dunkel. Oh! Wau! Wirklich, das flimmert und leuchtet da, ganz tief unten und bis ganz weit weg. Hört das Lichtermeer denn gar nicht auf?

Der dreiunddreißigste Stock, das ist kurz vorm Himmel, noch nicht in den Wolken, aber Millie kann sie schon ziehen sehen, graue Fetzen, auch zum Greifen nah.

Unten fliegt ein Taubenschwarm. Das hat Millie ja noch nie erlebt, sonst fliegen die Tauben immer über ihr.

Auf der schwarz glänzenden Straße fahren Autos dicht an dicht, sie sehen von hier oben aus wie lauter Krabbelviecher auf einem Trampelpfad, rote Marienkäfer, gelbe Obstwürmer und grüne … »Wie heißen die noch mal, Mama, diese frechen Brummer … sind das Scheißfliegen?«

»Millie! Du meinst sicherlich Schmeißfliegen. Wie kommst du jetzt auf so was?«

Millie zeigt mit dem ausgestreckten Zeigefinger nach unten. Da brausen sie jetzt los, die Käfer und die Würmer und die Schmeißfliegen. Und dann drängen sich noch die schwarzen und die weißen Raupen durch die Meute. Wenn jedoch ein Polizeiauto kommt oder die Feuerwehr, dann müssen alle zur Seite zischen, auch der Rettungswagen hat Vorfahrt.

»Ich werd noch verrückt«, sagt Papa. »Kann man denn bei dem Geheul überhaupt schlafen? Andauernd fährt ein Polizeiauto vorbei. Und das mit lautem Tatütata.«

»Das macht gar nicht Tatütata«, sagt Millie. »Polizeiautos machen *Hujhujhujhujhuj*, wie Quietschmäuse, und der Krankenwagen macht *Uuuiiiuuuiiiuuuiii*. Und am schönsten hört sich die Feuerwehr an, die macht nämlich *Huhuhuhuhui huhuhuhuhui Hihihihihih*.«

»Und das willst du alles von hier oben aus mitbekommen?«

»Das ist doch ganz leicht, Papa. Hast du denn keine Ohren?«

Papa seufzt einmal tief auf.

»Und wenn du wenigstens Augen hast, Papa, dann schau mal hier runter auf die Straße!«

Da gibt's nämlich was zu sehen! Gleich neben dem Hotel wird der Platz von einem Scheinwerfer grell angestrahlt. Auf dem Bürgersteig kniet ein Mann und malt mit Kreide Bilder auf den Boden.

Aber das ist nichts Besonderes. Das meint Millie nicht.

»Guck mal neben den Mann, Papa, dieser Kuller auf dem Platz, kannst du sehen, was das ist?«

»Ja«, sagt Papa. »Das ist Kunst.«

»Das ist keine Kunst, das ist eine Titte. Weißt du, was eine Titte ist, Papa?«

Papa sieht ein bisschen hilflos aus. Er dreht sich zu Mama um. Aber die hat sich auch schon aufs Bett gelegt und pennt. Wie Trudel. Ach ja, es ist ja bereits lange nach

Mitternacht, eigentlich ist schon der nächste Tag.

»Wo hast du denn das Wort her, Millie?« Papa flüstert so leise, dass Miss Trudel und Miss Mama nicht gestört werden.

»Titte?«, fragt Millie nach und hat ihre Stimme auch ganz klein gemacht. »Das sagt man zur Brust. Das heißt so, Papa. Das nennt man so bei den Frauen. Und kannst du die da unten sehen? Guck mal richtig hin. Es ist aber nur eine Titte, in Silber und in Rot, und die Brustwarze ist blau. Sieht das nicht bescheuert aus?«

Arme Bärenpfote

Mama ist morgens als Erste wach. Nein, stimmt nicht. Trudel ist schon vorher fidel und tanzt Mama auf der Nase herum.

Millie tut so, als würde sie nichts mitbekommen. Sie ist noch so schrecklich müde. Das liegt sicherlich daran, dass sie gestern erst lange nach Mitternacht ins Bett gegangen ist.

»Wie spät ist es denn?«, murmelt sie, als Trudel auf ihr herumturnt und Mama sie wachkitzeln will.

»Später, als du denkst«, sagt Mama. »Los, ihr Schlafmützen. New York wartet auf uns.«

New York?

Ach ja. Mal gucken, was der Glitzerplatz jetzt macht.

Hach! Alles ist grau und regnerisch. Die Raupen unten auf der Straße kriechen langsam über die nasse Straße. Die Wolken schleichen nicht nur hoch oben um die

Spitzen der Wolkenkratzer herum, sie haben auch schon das blaue Hotel eingehüllt. Man kann nicht mal den Hatschi-Fluss sehen und schon gar nicht das Rockyfell auf der anderen Seite.

Katzenwäsche?

»Aber gründlich«, sagt Mama und drückt Trudel ein erbsengroßes Stück Zahnpasta auf die kleine Bürste.

Trudel putzt sich noch ganz gern die Zähne, aber Millie würde am liebsten schon vor dem Waschen frühstücken. Auch heute mogelt sie ein bisschen, sie macht Katzenwäsche halb und halb, halb gründlich und halb so lala.

»Das Frühstück im Hotel ist wahnsinnig teuer«, sagt Papa. »Wir gucken mal, ob wir nicht auf der Straße was zu essen finden.«

Auf der Straße? Wie soll das denn gehen? Sie sind doch keine Spatzen!

Die hüpfen draußen auf den breiten Bürgersteigen herum und picken auf, was sie zu futtern finden.

Wie kommen denn die Spatzen überhaupt nach Amerika? Auch mit dem Flugzeug? Oder sind sie den langen Weg hierher geflogen?

Es ist doch klar, dass sie aus Deutschland kommen. Sie machen *tschilp, tschilp*. Wenn sie Amerikaner wären, müssten sie *tschälp, tschälp* machen oder vielleicht *tscholp, tscholp*.

Vom Hotel aus marschieren sie langsam in Richtung Glitzerplatz. Millie hat ihren Rucksack mitgenommen. Ohne den wird sie in New York nicht ausgehen können. Immerhin hat sie fünf Dollar dabei. Das ist ein gutes Gefühl. Da kann ihr nicht viel passieren.

Mistwetter! Nieselregen.

Was interessant ist: Man kann in New York wirklich das Essen auf der Straße finden. Das ist nur ein bisschen gelogen, denn tatsächlich kann man fast in jedem Haus etwas zu essen kaufen, Pommes und Pizza und Kuchen. Manche Leute spazieren sogar mit einem Becher Kaffee in der Hand die Straße entlang. Damit sie sich nicht die Schnute verbrühen, haben die Becher einen Deckel. Und man kann den Kaffee durch einen Strohhalm hochschlürfen, das ist praktisch. Keine Kleckerei!

Ob man auch Kakao mit dem Strohhalm trinken darf?

Aber zunächst müssen Papa und Mama
entscheiden, was für ein Frühstück sie ein-
nehmen wollen. Mit Bedienung oder ohne?
Muss es im Stehen sein oder sollten sie besser
sitzen? Teuer oder preiswert?
Mama zählt die Restaurants auf, die in Frage
kämen: »Starbucks, McDonald's, Deli,
Fridays oder Schickimicki?«
Schickimicki ist was mit Bedienung.
Papa sieht sich um. Kein Schickimicki-
Restaurant zu sehen. Aber Sternbacke und
Meckimeck sind gleich in der Nähe. Man
könnte aber auch eine Brezel und einen Pott
Kaffee an einem Karren bekommen, wo sie
auch Popcorn verkaufen und weiße und
rote Speckmäuse. Aber das ist unbequem.
Außerdem fieselt es immer noch.
Am schicksten wäre es, auf so einem hohen
Barhocker bei Sternbacke zu frühstücken.
Die heißen doch so! Oder?
Sie gehen wirklich hinein.
Papa bestellt Kaffee und Kakao und auf-
geschäumte Milch. Mama sucht mit den
Kindern was zu essen aus.
»Kuchen«, sagt Millie und Trudel nickt dazu.

»Lecka«, sagt sie. Meistens nimmt sie das,
wofür Millie sich entschieden hat.

»Eins von den großen, breit gematschten
Stückchen mit Zucker drauf«, sagt Millie.

»Mami, siehst du das? Das mit den meisten
Streuseln. Wo noch diese hellen Klecke
draufgeklebt sind. Weißt du, welche ich
meine?«

Oje, wie wird Mama das der lächelnden
Bedienung erklären?

Mama fragt einfach, wie das Kuchenstückchen
heißt.

»Almond Bearpow«, sagt die Verkäuferin.

Armer Bärenpo? Das kann doch wohl nicht
sein.

»Es ist eine Bärenpfote mit Mandel-
stückchen«, erklärt Mama.

Millie zieht ein saures Gesicht.

Mama sagt gleich: »Keine richtige Pfote.
Das Kuchenteilchen ist aber so mächtig, dass
man denken könnte, es würde von einem
Bären stammen.«

Klar.

»Ich nehme die arme Bärenpfote«, sagt
Millie.

»Tudelaufote«, sagt Trudel.

»Eine für beide reicht«, sagt Mama.

»Eine für mich reicht«, berichtigt Millie. Sie
wird mit der Bärenklaue doch wohl alleine
fertig werden.

»Eine für beide!« Mama beharrt drauf. Sie
hat heute aber einen Dickkopf! Und sie hat
genug damit zu tun, Trudel von der Kuchentheke fortzuziehen und sie vorne in der
Nähe der Schaufenster auf einen Hocker zu
setzen.

Papa ist mit den Bechern voll Kaffee, Milch
und Kakao beschäftigt. Er balanciert sie zu
den Sitzplätzen.

Niemand achtet auf Millie. Sie guckt immer
noch die restlichen armen Bärenpfoten voller
Bewunderung an. Ob die nette Verkäuferin
kapiert, dass Millie unbedingt eine eigene
Pfote haben muss?

»Kann ich dir helfen?«, fragt die Verkäuferin.
Das versteht Millie schon. Das sagen alle
Amerikaner gleich zu Anfang, bevor es
schwierig wird: »Can I help you?«

Millie zeigt auf den Teller mit den Bärenpfoten. Sie nuschelt ein wenig, als sie sagt:

»Armer Bärenpo.« Ja, *Pfote* würde die Frau bestimmt nicht verstehen.

Die Verkäuferin angelt bereits nach der herrlichen Bärenklaue, die mindestens so groß ist wie Trudels Schnute, wenn nicht größer. Und Millie reißt sich schon den Rucksack von der Schulter. Darin befindet sich ihr Geld für den Notfall. Bärenpfoten sind ja nicht umsonst!

Die Verkäuferin sagt: »Two dollar.«

Klar. Millie kann auf Amerikanisch bis fünf zählen: *Uan, tuh, ssrie, foar, faiv.*

Und dann ist Papa da. »Nix da«, sagt er und schüttelt den Kopf. »No, no. Thank you.«

Vielen Dank auch.

»Welcome«, sagt die Verkäuferin. *Wellenkamm.* Dann schleppt Papa Millie von der Kuchentheke fort.

Wie sieht Papas Gesicht aus?

Na, es geht grad noch so. Und Mama sagt zum Glück nur kopfschüttelnd: »Millie!«

Millie braucht Hilfe, um auf dem Barhocker Platz zu nehmen. Von dort oben wird sie nie wieder alleine runterkönnen, das weiß sie jetzt schon.

Erst mal in Ruhe frühstücken. Mama und
Papa werden sich schon wundern, wie schnell
sie die Bärenpfote verputzen kann. Dann
müssen sie selber noch mal zwei Dollar
ausgeben.

Der Kakaobecher
ist aus Pappe. Der
Henkel auch. Ob
das hält?
Papa hat keinen
Deckel und keinen
Strohhalm mit-
gebracht! Mann,
ohne macht das
keinen Spaß. Die
richtigen Amerikaner nuckeln ja auch am
Strohhalm, alle tun das.

»Der Kakao ist viel zu heiß«, sagt Papa zur
Begründung. »Du musst pusten, Millie, bevor
du ihn überhaupt trinken kannst.«
Millie pustet so sehr, dass die Schaumflocken
fliegen. Da steht Papa doch auf und holt
Deckel und Strohhalm.
Oh, die Bärenpfote schmeckt gut. Das hat
Millie ja gewusst.

Und Trudel findet den Kuchen sowieso lecker.

Leider ist die Pfote doch ein wenig groß. Sie ist riesig! Es ist gar keine Pfote. Es ist eine Pranke! Auch wenn Trudel mithilft, wird das mächtige Kuchenstück nicht zu schaffen sein. Millie schaut Mama vorsichtig von der Seite an.

Mama sagt nichts. Aber Millie weiß genau, was Mama jetzt denkt: *Hab ich doch gewusst.* Sie sitzen wie die Hühner auf der Stange vor der Schaufensterscheibe von Sternbacke. Von drinnen kann man ein winziges Stück von New York sehen, die breiten Betonsteine der Bürgersteige, die viel zu groß für Hüpfspiele sind. Die Bordsteinkanten tragen Schürzen aus Metall. Und überall stehen Abfalleimer herum. Die Müllbeutel sind lila.

An jeder Ecke steht ein Straßenfeger.

Schwups, hat jemand einen Zettel auf die Erde geschmissen, *schwups,* wird er schon aufgefegt und in den lila Sack befördert.

Es ist Zeit aufzustehen und sich New York mal aus der Nähe anzusehen. Ja, Papa, ohne Hilfe kann Millie nicht vom Hocker rutschen!

Und was jetzt? An Regenschirme hat
niemand gedacht.

Ach, nicht schlimm. In New York gibt's an
jeder Ecke Regenschirme.

»Kaufst du mir einen?«, fragt Millie und sieht
Mama an.

»Wir sind nicht aus Zucker«, sagt Mama.
Millie wendet sich besser an Papa. »Was
kostet denn so ein Schirm?«, fragt sie.

»Fünf Dollar«, sagt Papa.
Das geht doch noch. »Das ist billig«, sagt
Millie. »Oder?«

»Wir sind nicht aus Zucker«, sagt Papa. Er
hat das bestimmt mit Mama abgesprochen.
Nichts zu machen.

»Der Kaffee hat uns schön aufgewärmt«,
sagt Mama. »Wir schauen mal, ob wir das
Museum of Modern Art finden. Man kann
auch einfach Moma dazu sagen.«

Erstens hat Millie bloß Kakao getrunken
und keinen Kaffee, und zweitens hört sich
Museum sehr nach *Museum* an, noch dazu
ein Oma-Museum, das kann schrecklich
werden.

Papa sagt: »Aber denk nicht, dass ich dort

Stunden verbringen werde. Moderne Kunst kann ein Gräuel sein.«

Lieber, lieber Papa.

Mama sagt: »Du wirst dich wundern. Im Moma hängt die schönste Frau der Welt. Marilyn.«

»Die Monroe?«, fragt Papa.

»Na, wer denn sonst?«, sagt Mama. »Und außerdem ist es im Museum trocken. Gerade das Richtige bei solchem Hunde-wetter.«

Hoffentlich ist das Oma-Museum mit dieser Miss Marilyn in der Nähe. Und vielleicht gibt es dort ja auch Miss Libby zu sehen. Alles auf einen Schlag, das wäre fein, danach könnten sie ja noch Bötchen fahren oder mal einen Wolkenkratzer von innen angucken und sich anschließend im Hotel aufs Bett werfen. Fernsehen! Vielleicht kann man hier *Pokémon* sehen oder *Regenbogenfisch*. Jedenfalls haben sie einen tollen Apparat auf dem Zimmer.

Mama marschiert nun auf der Suche nach dem Oma-Museum vorneweg.

Millie drückt sich an den Rand vom Bürger-steig in die Nähe der Häuser. Manche haben eine Markise ausgefahren. Das ist bei Regen ganz prima.

Die Straßen in Mänhättän sind alle gleich lang und führen schnurgerade vom Hatschi-Fluss, der ist links, zur anderen Seite, das ist rechts. Man braucht hundert Schritte, um von einer Straßenecke zur nächsten zu gelangen. Aber genau.

An den Straßenkreuzungen befinden sich Ampeln, die sind – fast immer rot. Wenn sie mal grün werden, dann kann man *Walk* lesen. Es ist ein quakiges Wort, wenn man es ausspricht: *Woak*. Es macht Spaß, *Woak* zu rufen, auch Trudel kapiert das schnell, *Woak*. Quoak, quoak.

Millie und Trudel müssen jedes Mal tüchtig lachen, und so vergeht die Zeit ganz schnell. Bis sie irgendwann doch die Füße spüren. Mama führt sie herum. Sie laufen von der einundfünfzigsten Querstraße die siebte Langstraße hinauf, dann durch die zweiundfünfzigste Straße über den berühmten Brotweg. Der Brotweg heißt richtig Breite Straße. Mama sagt: »Der berühmte Broadway.« Das ist die längste Straße von Mänhättän und

müsste deswegen eigentlich berühmte Lange
Straße und nicht berühmte Breite Straße
heißen.

Das soll einer kapieren!

Vom berühmten Brotweg geht es ein Stück
die achte Langstraße runter, dann durch die
neunundvierzigste Querstraße und schließlich
sind sie in der neunten Straße.

Papa fragt: »Waren wir hier nicht schon
einmal?«

»Eigentlich müsste das Museum gleich um
die Ecke liegen«, sagt Mama. »Ich versteh das
nicht.«

»Tudelmusspipimachn«, piepst Trudel.

Millie sagt: »Sollen wir uns nicht doch einen
Schirm kaufen?«

Keiner hört dem anderen zu.

Papa schlägt Mama Folgendes vor: »Wir
gehen noch eine Straße runter und eine Straße
rauf. Wenn wir bis dahin dieses Museum
nicht finden, ist Schluss. Dann gehen wir
zurück ins Hotel. Bei diesem Sauwetter.«

Das ist eine gute Idee. Da können sie
wenigstens *Pokémon* oder *Regenbogenfisch*
gucken.

Aber plötzlich sagt Papa zu Mama: »Du hast
dich verlaufen.«
Mama runzelt die Stirn und schaut auf
den Stadtplan. »Ich dachte, ich bin von
der fünfzigsten Straße in die sechste Straße
gelaufen und anschließend hoch zur dreiund-
fünfzigsten.«
Papa sagt: »Wie kann man sich nur in New
York verlaufen!«
»Ich dachte …«, versucht Mama es noch ein-
mal und Papa sagt: »Ich hab gehört, dass man
sich in New York überhaupt nicht verlaufen
kann.«
Er blitzt Mama an und Mama blitzt Papa an.
Das kommt alles von dem Mistwetter, weiß
Millie, bei so einem Wetter passiert nur
Mist.
Mama sagt: »Wir haben uns gar nicht
verlaufen, wir sind immer noch in New York.«
»Und wo willst du hin?«, fragt Papa.
»Zu Marilyn«, sagt Millie schnell. Sie muss
Mama doch verteidigen. Mama hat das mit
dem Verlaufen doch nicht extra gemacht.
»Ist hier nicht was anderes in der Nähe?«,
fragt Papa. »Das Empire State Building

vielleicht oder das Chrysler Hochhaus oder
auch nur das Rockefeller?«
Mama ist kurz vorm Heulen. Das sieht Millie
ganz genau. Und wie es regnet! Die Blumen
werden sich freuen. Und die Bäume. Aber das
ist jetzt kein Trost.
Trudel sagt: »Tudelmusspipimachn.«

»Aber ja, mein Schatz«, sagt Mama und hält
sie mitten in New York ab. Trudel strullt
gegen einen Baum. Mann, ist das peinlich.
Papa findet das jetzt lustig. Er grinst. »Wir
sind vielleicht eine Familie«, sagt er.
Millie kann ihn nicht ganz verstehen, aber sie
grinst auch. Lachen ist besser als meckern.
»Na gut«, sagt Papa, als Mama alles an Trudel
wieder hochgezogen hat, Unterhose, Knie-
strümpfe und die lange, blaue Hose. »Wo
sind wir eigentlich?«
»In der neunten Straße«, sagt Mama eifrig.
In der neunten Straße gibt es viele kleine
Geschäfte. Wenn man sie sehen will. Wenn
man nicht nur auf das Mistwetter achtet.
Läden mit Gemüse und Blumen. Nix
Besonderes. Geschäfte, in denen sie Berge
von goldenen Uhren verkaufen und tausend
Fotoapparate. Und es gibt einen Friseur-
salon, wo sie aus kurzen Haaren lange Zöpfe
machen können. Wau! Millie drückt sich die
Nase an der Schaufensterscheibe platt. Sie
könnte stundenlang zuschauen und lernen,
was sie mit ihren Puppen zu Hause alles
anstellen kann. Ach, und vielleicht bekommt

sie endlich in Amerika eine Barbie-Puppe.
Eine richtige, echte, amerikanische Barbie-
Puppe. Ach, wär das schön.

Mama ist vor einem Schuhgeschäft stehen
geblieben. Draußen steht ein Regal mit lauter
linken Schuhen.

»Vielleicht finden wir hier ein Schnäppchen«,
sagt sie und zieht Papa am Ärmel zu sich
heran.

Papa hat wieder gute Laune, auch wenn das
Wetter immer noch scheußlich ist. Seine
Haare kringeln sich wegen der Feuchtigkeit
zu halben Locken. Es sieht nett aus, aber
Papa weiß das nicht.

Papa schaut sich einen Schuh nach dem
anderen an. Er fährt sogar mit der Hand
hinein.

»Dieser würde ja sogar passen«, sagt er und
wiegt seinen Kopf hin und her.

Anprobieren, Papa, anprobieren.

Millie würde aber an Papas Stelle lieber
andere Schuhe nehmen, die aus schwarzem
und weißem Leder. Die sehen nämlich schick
aus.

Millie zeigt mit dem Finger drauf.

»Die da«, meint sie, solche Schuhe.

Aber Mama und Papa kichern in sich hinein.

»Das sind doch Schuhe für einen Mafia-Mann«, sagt Mama, und Papa guckt sich plötzlich verwirrt um. »In welcher Gegend sind wir hier eigentlich?«

In einer guten Gegend, Papa! Hier gibt es was zu sehen. Dort drüben haben sie haufenweise Plastikflaschen gestapelt, das sieht aus wie moderne Kunst, und auf der anderen Straßenseite verteilen sie Klamotten und Matratzen an jeden, der vorbeikommt und was davon haben will, völlig umsonst, das sieht Millie ganz genau.

»Na ja«, gibt Mama zu. »Hier wohnen die ärmeren Leute von New York, ich hab mich ja verlaufen.«

»Macht doch nichts, Mama«, sagt Millie. »Wir sind doch immer noch in New York. Papa soll jetzt schnell die Maffi-Schuhe kaufen. Und danach suchen wir das Oma-Museum.«

»Psch«, sagt Mama. »Kommt bloß weg hier. Du weißt nicht, was du sagst, Millie! Ein Mafia-Mann ist ein Verbrecher.«

»Und der zieht solche schicken Schuhe an?«, fragt Millie. »Woher weißt du das?«

»Das kann man doch in jedem Krimi sehen«, sagt Mama.

Mama vielleicht. Aber Millie hat so was noch nicht gesehen.

Schade, dass Mama und Papa solche Schiss-hasen sind. Denn die schwarzweißen Schuhe vom Maffi-Mann sind echt toll.

Miss Marilyn

Der Nieselregen hat sich zum Glück zurück
in die Wolken verzogen und die sind nach
oben gewandert und ruhen sich auf den
Wolkenkratzern aus. Darunter, auf den
Straßen, ist es wie unter einem Federbett,
nicht so warm, aber so fluffig.
Millie ist durch die Feuchtigkeit ziemlich nass
geworden. Wenn sie sich ihr Spiegelbild in
einem Schaufenster anguckt, schaut sie wie
eine halb ersoffene Katze aus. Und auch die
Hunde auf der Straße sehen ziemlich mitgenommen aus. Wo bleibt denn die Sonne?
Die Hochhäuser sollten mal die Wolken
tüchtig kratzen, damit es eine Lücke gibt und
ein paar Sonnenstrahlen auf die Stadt fallen
können.
Mama führt die Familie nun schnurstracks
zum Oma-Museum.
Mit einem Mal weiß sie genau, wo es

langgeht, nur die neunte Langstraße hoch
und die dreiundfünfzigste Querstraße
entlang, immer der Nase nach.

»Woak«, ruft Millie. »Woak.«

Die Menschen in New York haben wenig
Raum. Gerade genug zum Atmen. Jeder Platz
ist von Wolkenkratzern besetzt. Aber um die
Bäume auf den Bürgersteigen haben die
New Yorker kleine Gärtchen angelegt.
Meistens wachsen dort rosafarbene Fleißige
Lieschen.

»Was heißt Fleißige Lieschen auf Englisch?«,
will Millie wissen. »Auf Amerikanisch?«

»Keine Ahnung«, sagt Mama. »Möglicher-
weise Busy Lizzy.«

Bisilisi? Das hört sich ja an wie italienische
Nudeln. Hm, lecker.

Neben Bisilisi lieben die New Yorker auch
Hunde. Sie dürfen in die Gärten pinkeln.
Wie Trudel vorhin. Und in einem Laden
verkaufen sie sogar einen Extra-Esstisch für
Hunde. Selbst Papa ist über so viel Tierliebe
erstaunt. Er bleibt wie angewurzelt stehen.
Aber wenn man stehen bleibt, schmerzen die
Füße noch mehr als beim Laufen.

Komm, Papa, weiter.

Nur Trudel macht der Spaziergang komischer-
weise nichts aus. Spaziergang? Das ist ja heute
schon eine richtige Wanderung!

Trudel hockt mal auf Papas Arm und mal auf
Mamas Arm, und wenn sie Lust dazu hat,
hopst sie an einer Hand von den beiden auf
dem Bürgersteig herum. Millie aber muss
wie die Erwachsenen laufen und laufen.

Sie spürt ihre Zehen. Alle zehn einzeln. Sie
hat gar nicht gewusst, dass so etwas möglich
ist.

Zum Glück müssen sie beim Oma-Museum
nicht in der endlosen Schlange anstehen.
Mama hat schon vor der Reise die Eintrittskarten besorgt. Und da sie bereits stundenlang unterwegs gewesen sind, werden sie sich
doch hoffentlich nicht auch noch stundenlang im Museum rumtreiben. Oder?

Moderne Kunst ist aber nicht schlecht, findet
Millie. Besser als unmoderne Kunst. Das
wären ja fast nur Bilder mit dem Christkind
drauf.

Moderne Kunst ist lustig. Zum Beispiel
gibt es im Oma-Museum ein Sofa aus lauter

aufgeblasenen gelben Luftballons. Mensch, auf so was hätte Millie auch selber kommen können.

Millie sieht genau, dass Trudel furchtbar gern die Luftballons zwicken möchte. Das macht sie zu Hause auch immer, wenn sie in einem Schuhgeschäft oder auf dem Rummelplatz einen Ballon bekommt.

Das Ballonsofa hängt von der Decke herunter. Millie könnte es erreichen. Wenn sie sich ordentlich reckt und streckt. Und was wäre, wenn Millie das Sofa platzen ließe? Alle Leute würden sie anschauen und denken, was für ein böses Kind das ist. Sie würden Millie nie verzeihen. Aber die kleine Schwester! Würden sie es Trudel auch übel nehmen? Trudel ist doch noch so klein! Kleine Kinder dürfen Dummheiten machen, sie können ja nichts dafür.

Mama ist im Oma-Museum auf der Suche nach Miss Marilyn, und Papa guckt sich gerade eine ganze Wand voll gemalter Suppendosen an. Davon kriegt man nur Hunger!

Millie schnappt sich Trudel. Sie umschlingt

sie mit beiden Armen, dicht unterm Popo.
Dann hebt sie Trudel hoch.
Lange wird Millie sie nicht halten können.
Aber wenn die Schwester schnell macht …
Trudel hat scharfe Fingernägel, besonders an
den Ecken. Wenn sie ihre Finger in Millies

Arm krallt, dann würde Millie ihr am liebsten eine scheuern, so weh tut das. Es wird für Trudel also ein Klacks sein, das gelbe Sofa, *peng, peng,* zum Knallen zu bringen.

Millie muss ihr Gesicht in Trudels Bauch drücken, sie bekommt kaum noch Luft.

Mach schon, Trudel, mach schon.

Aber Trudel reicht nicht an das Luftballonsofa. Millie muss sie noch ein Stückchen hochruckeln.

Da steht plötzlich ein Museumswächter vor ihnen.

»Ähäm«, macht er nur.

Ist ja schon gut. Millie lässt Trudel langsam hinabgleiten und schaut vorsichtig und auch ein wenig erwartungsvoll den Wächter an. Er hat ein liebes, schwarzes Gesicht. Und was sagt er? Ach, die Amerikaner fragen ja immer dasselbe: Ob sie einem helfen können. »Can I help you?«

Millie schüttelt den Kopf. Und dann nimmt sie rasch Trudel an die Hand und flüchtet. Obwohl der nette Wächter gar nicht geschimpft hat.

Mama hat inzwischen ihre Miss Marilyn

gefunden. Die schönste Frau der Welt hängt
dort an der Wand. Nicht in echt. Als Bild
natürlich!

Miss Marilyn ist rosa, gelb und grün. Sie ist
nicht die schönste Frau der Welt. Höchstens
die zweitschönste. Die schönste Frau der Welt
steht neben Miss Marilyn und heißt Mama.
Sie würde den ersten Preis gewinnen.

Papa fotografiert Mama. Dann knipst er noch
grüne Stiefmütterchen und die Nasenbilder
von einem Maler, der Büffel heißt oder so.

Und Millie hat nun die Nase voll vom Oma-
Museum. Oke, der rote Flaschenkürbis sieht
ganz nett aus. Oder hier, die Barbie-Puppe
mit den Kopfhörern, ja, die ist klasse, nur
leider gehört sie dem Museum. Dass Barbies
Kunst sein sollen, hat Millie bisher nicht
gewusst.

Nun müssen sie nur noch einmal um die
Ecke, um wieder zum Ausgang zu gelangen.
Aber was soll das denn sein? Dieses Geschurre
und Gewurre?

Die komischen Geräusche kommen aus der
Wand. Dort unten befinden sich Bohrlöcher.
Und vor der Wand hängt eine nackte Glüh-

birne, die wackelt und flackert, als ob sie bald ihren Geist aufgeben würde.

Millie liefert Trudel schnell bei Mama ab. Sie muss sich die Löcher mal aus der Nähe anschauen.

Ganz sachte streckt sie ihren Kopf vor. Das Licht der Glühlampe zuckt und aus der Wand ertönt eine Stimme. Sie ist dunkel und tief. Was sagt die Stimme?

»Wummadummafidelbrumma.«

Oder so was Ähnliches.

»Was hast du gesagt?«, fragt Millie und rutscht auf den Knien näher an die Löcher heran.

»Waumaukandelrau.«

»Ich versteh dich nicht«, sagt Millie. »Wer bist du denn?«

»Kingdingdonnabuh.«

»Sprich doch mal deutlich«, fordert Millie die Stimme auf und legt ihr Ohr direkt an die Löcher.

Aber dann springt sie mit einem Satz zurück, so sehr hat sie sich erschreckt. Jetzt hat sie es endlich verstanden. Es kann gar nicht anders sein, es ist der arme King Kong, der dort hinter der Wand sitzt, da haben sie ihn eingesperrt.

King Kong hört sich traurig an. Millie wagt sich wieder einen Schritt vor und beugt sich hinunter zu den Löchern in der Wand.

»Bist du eingesperrt?«, fragt sie. »Kannst du nicht raus?«

»Ojemine«, sagt King Kong.

Ja, ganz bestimmt hat er das gesagt!

Ojemine. Wenn man sich Mühe gibt, kann man King Kong gut verstehen. Er tut Millie so Leid!

»Hast du wenigstens was zu essen?«, fragt Millie.

»Lass mich raus«, hört Millie. »Lass mich raus.«

Miaumiomiaumio. Was für ein Gejammer!

»Ich kann dich nicht rauslassen«, sagt Millie. »Ich weiß doch gar nicht, wie das geht.«

»Lass mich raus, lass mich raus!«

»Das geht leider nicht«, sagt Millie und richtet sich auf. »Ich bin doch nur zu Besuch hier.«

Langsam, Schrittchen für Schrittchen, schleicht sich Millie rückwärts davon.

Mannomann, sie ist ganz schön ins Schwitzen geraten. Ob sie alles richtig gemacht hat? Oder hätte sie King Kong irgendwie helfen sollen, aus dem Gefängnis hinter der Wand auszubrechen? Obwohl … Nachher wäre er noch rausgekommen und hätte *ätschibätschi* gesagt. Und was dann?

Mama holt Millie aus der dunklen Ecke.

»Na?«, sagt sie. »Hat dir das Talking Light Spaß gemacht? Es ist ein sprechendes Licht. Hast du das gemerkt?«

Sprechendes Licht?

Hat Mama eine Ahnung!

Tiffy

Papa hat sich vor der Reise kaum um
die Sehenswürdigkeiten von New York
gekümmert. Er hat also keine Ahnung.
Mama bestimmt, wo sie hingehen müssen
und was sie machen sollen. Sie weiß ganz viel
über New York.
»New York heißt auch *Big Apple*«, erzählt sie.
»Die Stadt ist wie ein großer, dicker Apfel,
aber damit meint man nur Manhattan, den
Stadtteil, wo die Wolkenkratzer stehen.«
»Män-hät-tän sieht gar nicht aus wie ein
Apfel«, sagt Millie. Auf dem Stadtplan ist eher
eine lang gestreckte Zunge zu sehen.
»Das mit dem großen Apfel kommt wohl
noch aus der Zeit, als die Leute hier in der
Umgebung Apfelbauern waren«, berichtet
Mama.
»Und weiter?« Millie hat Geschichten gerne.
»Nichts weiter«, sagt Mama.

Blöde Geschichte.

Wenigstens hat Mama heute viel mit ihnen vor. Hoffentlich muss man das nicht alles zu Fuß erledigen.

»Tiffany ist ganz in der Nähe«, sagt Mama, als sie draußen vorm Hotel stehen.

Tiffy? Schon wieder eine Miss?

»Na und?«, sagt Papa.

»Sie haben doch diesen berühmten Film bei Tiffany gedreht«, sagt Mama empört.

»Kann mich nicht erinnern«, sagt Papa. »Und was willst du da?«

»Gucken«, sagt Mama. »Da gibt es die schönsten und teuersten Juwelen von der ganzen Welt.«

Gold, Silber, Edelsteine? Da macht Millie mit. Glitzernde Sachen gefallen ihr sehr.

Papa sagt zaghaft: »Wir sind doch keine Millionäre.«

Mama zuckt mit der Schulter. Hat sie vielleicht im Lotto gewonnen und es keinem erzählt?

Also, Rucksack auf den Rücken und los.

Leider geht es doch wieder zu Fuß durch die Stadt.

Zu Fuß heißt, man läuft oben rum. Auf
dem Bürgersteig. Und über die Straßenkreuzungen. Wenn die Ampeln *Woak* sagen.
Quoak, quoak.
Es gibt in New York jedoch auch ein Unten.
Ganz, ganz tief unter der Stadt fährt die
U-Bahn. Ihre Luftschächte führen hinauf
bis zu den Bürgersteigen. Die Luft, die dort
durch Gitter entweicht, ist warm und stinkig.
Ein unheimliches Rauschen und Röhren
dringt aus der Tiefe. Millie bleibt stehen und
schaut hinab. Ihre Augen müssen sich erst an
die Dunkelheit gewöhnen. Es gibt nicht viel
zu sehen. Nur Dreck und feuchten Moder.
Und ein Krokodil!
»Du spinnst doch, Millie«, sagt Papa.

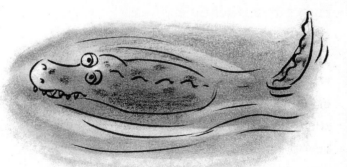

»Nein«, sagt Millie. »Guck doch selbst.«

»Kokodi?«, fragt Trudel. Sie hockt auf Papas Schultern und fällt vor Neugier fast runter. Sie zappelt so sehr, dass Papa sie ganz schnell über seinen Rücken und Hintern hinabrutschen lässt.

Mama glaubt Millie kein Wort. »Erzähl keinen Blödsinn«, sagt sie.

Aber Trudel läuft zu Millie und hockt sich auf das Gitter.

»Kokodi?«, fragt sie und guckt skeptisch in den Luftschacht.

»Da!«, sagt Millie und zeigt mit dem Finger nach unten.

Trudel starrt in die nachtdunkle Tiefe. Mit ihren Händen stützt sie sich am feuchten, schmuddeligen Boden ab. Jetzt sind ihre Finger aber mächtig eingesaut.

»Siehst du das Krokodil?«, flüstert Millie.

»Ja«, haucht Trudel mit Ehrfurcht in der Stimme.

Mannomann, Trudel nimmt Millie aber auch jeden Blödsinn ab! Lieber schnell weg hier, bevor Trudel noch was merkt und losheult. Gut, dass das Haus von Tiffy schon an der nächsten Ecke ist. Sieht eigentlich nach nichts Besonderem aus. Nur ein paar kleine Schaufenster sind zu sehen. Millie muss sich auf die Zehenspitzen stellen, um hineinschauen zu können. Hm. Zwei, drei Armbänder liegen da. Ein kleines Ringlein. Kein Glitzerzeug und nicht ein einziger Edelstein. Ach ja, das machen sie bestimmt wegen der Maffi-Männer, die schlagen nämlich sehr gerne Schaufensterscheiben ein. Das lohnt sich bei Tiffy aber nicht. Wenn die das hier machen würden, wären sie gelackmeiert. Sie würden nur zwei, drei Armbänder kriegen. Und das kleine Ringlein.

Mama lässt sich von Papa vor dem Haus von Tiffy fotografieren. Sie grinst in die Kamera. Und dann dreht sie sich mit einem Mal um und stolziert schnurstracks – hast du nicht gesehen – hinein in das Geschäft.

Papa ist ganz verdattert. Millie weiß, was er denkt. Er denkt, was will Mama denn da drin? Will sie sich ein Ringlein kaufen? Ja, warum eigentlich nicht? Oder sie will Miss Tiffy besuchen.

»O mein Gott«, sagt Papa und sieht aus, als

mache er sich große Sorgen. Er kratzt sich am Kopf.

Was sollen sie jetzt tun?

Trudel weiß, was zu tun ist. Sie nimmt Papa an die Hand und zieht ihn wie einen Hund hinter sich her.

»Heingehn«, sagt sie.

Ja, sie können Miss Tiffy doch auch mal besuchen.

Papa macht ein verlegenes Gesicht, als er mit Millie und Trudel durch die Eingangstür geht.

Klingklong.

Miss Tiffy ist nicht zu sehen. Nur ein paar Männer in dunklen Anzügen, die hinter Schaukästen stehen. Dort haben sie noch mehr Armbänder und Ringlein. Berge davon! Mama beguckt sich das Gold und das Silber, die Edelsteine, die Diamanten und die Brillanten in aller Ruhe. Das ist vielleicht ein Strahlen und ein Leuchten. Da kommt der Glitzerplatz nicht mit.

Mama ist es überhaupt nicht peinlich, die Sachen nur anzuschauen. Ihre Augen glitzern mit den Edelsteinen um die Wette und ihre

Stimme ist ganz tief und leise geworden.
»Schön, solche kostbaren Dinge mal von
nahem zu sehen«, flüstert sie.
Dass die ausgestellten Sachen teuer sind,
das kann man an den winzigen aneinander
gereihten Zahlen vor den Schmuckstücken
erkennen. Meistens sind es nur zwei, drei
Ziffern mit unendlich vielen Nullen als
Schwänzchen.
Trudel kann nicht in die Glaskästen schauen.
Sie ist zu klein. Sie schafft es nur, mit ihren
eingesauten Fingern die Schaukästen zu
beschmieren. Wenn sie jetzt ein Maffi-Mann
wäre, würde die Polizei hier sehr schöne
Fingerabdrücke von Trudel finden.
Papa drückt Mama seinen Ellbogen in die
Seite. »Was kostet denn so was?«, fragt er so
leise, dass man ihn kaum hören kann. Er weist
mit dem Kopf auf eine Kette, die wie eine
Schlange lose zusammengerollt im Schau-
kasten liegt.
»Hundertfünfzig«, sagt Mama. »Du kannst
ruhig richtig hinsehen.«
»Hundertfünfzig Dollar?« Papas Stimme
ist schon kräftiger geworden. Na, vielleicht

bekommt Mama doch endlich eine schöne Kette.

»Hundertfünfzigtausend Dollar.« Mama muss Papa verbessern.

O ja, die Zahl vor der Kette ist so lang, dass Millie sie gar nicht lesen kann.

»Gibt es hier denn nichts für fünf?«, fragt sie enttäuscht. »Für fünf Dollar?«

»Höchstens für fünftausend Dollar«, sagt Mama. »Aber wir sind ja nicht zum Kaufen hier, bloß zum Gucken.«

»Ich hab noch nicht genug geguckt«, sagt Millie. Ja, wenn Angucken nichts kostet! Die Männer hinter den Schaukästen gucken auch. Sie starren auf Trudels Fingerabdrücke. Und auf Millies Rucksack. Sie fragen nicht, ob sie behilflich sein können. Vielleicht sind sie keine echten New Yorker. Millie sieht sich mal ihre Schuhe an. Ob es Maffi-Schuhe sind. Und sie umklammert die Riemen vom Rucksack ganz fest. Da sind fünf Dollar drin. Aber es könnten ja auch fünftausend sein. Im ganzen Laden ist außer Miss Mama keine andere Miss zu sehen. Na schön, Miss Millie und Miss Trudel. Aber keine Miss Tiffy.

Jetzt haben sie fast den ganzen Laden durch-
wandert. Millie zupft Mama am Ärmel. »Wo
ist denn Miss Tiffy?«

»Alles hier ist Tiffany«, sagt Mama. »Der
Laden heißt so, mein Schätzchen. Ich wollte nur einmal im Leben hier drin sein und
für zehn Minuten das Gefühl haben, eine
Millionärin zu sein.«

So was Verrücktes kann man auch nur in New
York machen!

Nun gehen sie in aller Gemütsruhe auf den
Ausgang zu. Schauen noch mal rechts und
schauen noch mal links. Nur Trudel kann sich
kaum trennen. Sie zieht mit ihren besudelten
Fingern eine lange Schmierspur, die reicht
von dem Glaskasten mit den Armbändern
über den mit den Ringlein bis hin zu dem
Schaukasten mit den Halsketten. Meine Güte,
die Tiffy-Männer sind aber doch sehr höflich.
Sie sagen kein Wort über Trudels Schmiererei.
Aber sie lächeln auch nicht, als Millie sich
noch mal umdreht und ihnen zum Abschied
zuwinkt. Bestimmt haben sie geahnt, dass
Mama und Papa keine fünftausend Dollar in
der Tasche haben.

Meckimeck

Hujhujhujhujhuj jammern draußen die
Polizeisirenen. Es ist, als würden sich die
Polizeiautos etwas zurufen. Es schallt von
nah und fern: *Hujhujhujhujhuj.* Bestimmt
ist die Polizei hinter den Maffi-Männern
her. Der Lärm stört niemanden, keiner
guckt, aber Millie bleibt stehen und verrenkt
sich den Hals. Es ist einfach zu viel los,
Getöse, Getümmel, Gewusel überall. Ganz
schrecklich. Ganz schrecklich schön.
»Guckt mal«, sagt Mama. »Dreht euch
schnell um. Guckt mal, wer da ist!«
»Kucki?«, fragt Millie. Kucki wäre jetzt die
Letzte, die sie erwarten würde, aber es wäre
eine tolle Überraschung.
»Prometheus!«, ruft Mama aus.
Pommy? Pommy – was? Oh, diese
vertrackten Wörter!
»Prometheus«, wiederholt Mama. »Das ist

ein griechischer Held, der den Menschen das Feuer gebracht hat.«

Ach so. Der hat bestimmt was mit Zeus zu tun. Solche Geschichten haben nämlich immer was mit Göttern zu tun, das weiß Millie, seitdem sie in Griechenland gewesen ist. Auf Kreta. Die griechischen Götter verfolgen einen bis nach New York!

Millie blickt sich um. Wo sie jetzt sind, dieser riesige Platz mit den gigantischen Gebäuden drum herum, das ist das Rockyfell. Es ist nicht nur nach oben, sondern sogar nach unten gebaut. Wo sonst ein Keller sein würde, gibt es hier in der Tiefe eine Terrasse. Dort könnte man, *könnte!*, Kaffee und Kuchen bekommen. Und Cola!

Die Terrasse ist von Fahnenstangen eingerahmt. Alle Fahnen dieser Welt flattern dort. Nee, ist gelogen, bei diesem grauen Wetter hängen die Fahnen traurig und schlapp herunter. Aber sie sind wenigstens bunt, das sieht dann nur halb so traurig aus. Auf der Terrasse, vor einer Springbrunnen-wand schwebt Pommy. Das Erste, was Millie an ihm auffällt, ist, dass er aus Gold

ist. Und das Zweite, dass Pommy nackt ist. Interessant! Millie wird mal näher rangehen. Vielleicht kann man was sehen! Das ist ja spannend.

Hops, hops, hops.

Millie springt die Stufen zur Terrasse hinunter. Vorsichtig nähert sie sich Pommy.

Doch, er ist ein schöner Junge!

Pommy scheint zu fliegen, er liegt ganz schief in der Luft. Seine Arme hat er ausgebreitet. Millie lässt sich Zeit, um Pommy gründlich zu betrachten. Lächelt er? Kann man seine Zähne sehen? Hat er vielleicht sogar richtige Brustwarzen?

Und untenrum?

Da ruft Papa.

»Millie!«

Klar, Papa braucht sich ja nicht dafür zu interessieren, wie nackte Jungs aussehen.

Er ist ja selber ein Junge.

Aber Millie hat Pommy schon hinreichend angeguckt. Leider trägt er untenrum so einen Lappen. Ein verschlungenes Tuch, das auch aus Gold ist und selbst beim stärksten Windstoß nicht fortfliegen kann. Pech für Millie.

Sie lässt sich von Papa fortziehen. Wie
aufgeregt er mit einem Mal ist!
»Gibt es im Rockefeller Center nicht dieses
berühmte Regenbogenzimmer?«, fragt er.
Mama schaut in ihren Reiseführer.
»Ja«, sagt sie. »Im fünfundsechzigsten Stock.«
Mann, das ist ja fast doppelt so hoch wie
ihre Etage im blauen Hotel! Wird das Regenbogenzimmer schon im Himmel sein? In
echt? Und darf man da einfach so hinauf? Nur
zum Gucken?
Der Portier vom Rockyfell sagt, ja, man
darf hoch und man kann dort oben Kaffee
trinken. Er zeigt auf den Fahrstuhl.
Danke schön, Herr Portier.
Wellenkamm.
Kann man oder darf man oder muss man
Kaffee trinken? Wenn man Kaffee trinken
müsste, wäre das nicht so gut. Millie und
Trudel dürfen das ja gar nicht. Aber vielleicht
gibt es dort auch Eiscreme zu essen. Das
ginge auch.
Der Fahrstuhl zischt hoch. Nach dem ersten
Ruck merkt man gar nicht, dass er fährt.
Erst als er wieder anhält, wird es Millie einen

Moment lang so leicht um die Knie, als
würde sie im Weltraum schweben.

Das hier soll das Regenbogenzimmer sein?
Es ist doch nur eine Kneipe. Na schön, eine
schicke Kneipe mit weißen Tischdecken und
einer Miss im Minirock. Wie sie lächelt!

Papa fragt die Miss, ob sie mal aus dem
Fenster schauen dürfen.

Wellenkamm!

Man muss nichts essen und trinken, das ist
nett von der Miss, aber es wäre auch nett von
Mama und Papa, wenn sie sich trotzdem hin-
setzen und Eis bestellen würden, wenigstens
eins für Millie und eins für Trudel. Denn hier
oben ist sonst nichts los. Sie drücken sich die
Nase an der Fensterscheibe platt. Millie ist
mit ihrem Näschen schon fast auf der anderen
Seite rausgekommen. Aber es nützt nichts.
Kein Himmel, kein Regenbogen. Graue
Wolken, als müsste Petrus sich verstecken.
Schade.

Und dann geht es wieder an der Miss vorbei.
Danke schön.

Wellenkamm.

»Tinken?«, fragt Trudel. Selbst die kleine

Schwester hat kapiert, wozu das Regenbogenzimmer eigentlich da ist.

Mama schüttelt jedoch den Kopf. Kein
Kaffee, kein Kakao. Nicht mal ein stilles
Wasser, das hätte ja schon gereicht.

Rums. Jetzt lässt der Fahrstuhl, als er unten
ankommt, Millie in die Knie gehen. Auf etwas
wackeligen Beinen wankt sie nach draußen.

Hujhujhujhujhuj. Die Polizisten in New York
haben es gut. Sie fahren den ganzen Tag lang
mit Musik spazieren. Und sie passen auf, dass
kein Maffi-Mann Dummheiten macht. Und
dass sich alle Leute so benehmen, wie es vor-
geschrieben ist.

»*Woak*«, sagt Millie, und erst dann wagt auch
Trudel den ersten Schritt auf die Straße.

Woak, woak, woak. Mensch, Mama, die Füße
tun doch noch von gestern weh!

Sie marschieren bis zum Glitzerplatz. Dort
spielen Mama und Papa mit zurückgelegtem
Kopf Räuber Nick, bis ihnen schwindelig
wird.

»Times Square«, flüstert Mama. »Die Mitte
der Welt.«

Hat sie das nachgemessen?

Ein klein wenig kommt Millie der Glitzerplatz bekannt vor. Was könnte das bloß
sein? Richtig, es sieht hier so ähnlich aus wie
auf einem Rummelplatz, nur eben alles viel
größer und höher. Die Glühbirnen machen
Reklame, blink, blink, funkel, funkel. Sie
erzählen Geschichten, die laufen von einer
Seite zur anderen. Man müsste nur genauso
schnell lesen können. So flink ist Millie noch
nicht. Sie kann schon richtig gut lesen, aber
nicht, wenn die Buchstaben weglaufen.
Was ist denn das Beste am Glitzerplatz?
Na?
Na?
Na, die Cola-Flasche! Die ist dreihundert
Meter lang. In echt, kein bisschen kleiner. Sie
ist ziemlich grün und ein wenig braun. Man
hat sie schräg auf die Reklametafel gepatscht,
auf einem roten Strahlenkranz, und ein Strohhalm aus hundert, tausend, hunderttausend
Glühbirnen ragt in den Flaschenhals hinein.
Nuckel, nuckel, nuckel, alle paar Minuten
trinkt ein unsichtbarer Geist die ganze Cola-
Flasche leer. Das sieht toll aus. Es ist aber
auch gemein, wenn andere zugucken müssen.

»Tinken«, sagt Trudel ganz miepsig und
Millie ist auch schon richtig flau zumute.
Ist es nicht Zeit, was zu futtern?
Man kann am Glitzerplatz alles zu essen
bekommen. Salzbrezeln, Eis, Pizzas mit
Krümeln drauf und Hühnchen und Waffeln,
auch mit Krümeln drauf. Was richtig
Anständiges wäre Millie jetzt lieber.
Papa bückt sich, wahrscheinlich hat er
gemerkt, wie elend es den armen Kindern
geht.
»Was möchtet ihr essen?«, fragt er.
Er ruft das direkt in die Ohren, denn am
Glitzerplatz ist es so laut, dass man seine
eigenen Gedanken nicht verstehen kann.
»Ich möchte eine Bärenpfote essen«, brüllt
Millie, das ist was Anständiges. Aber Papa
hört gar nicht richtig zu.
Macht nichts. Genau gegenüber gibt es ein
Meckimeck.
In Mänhättän gibt es das an jeder Ecke, aber
das Meckimeck, das am schwierigsten zu
erreichen ist, liegt hier am Glitzerplatz. Man
muss nämlich fünf Zebrastreifen überqueren.
Alle mit Ampeln!

Woak!

Na, bei Meckimeck ist vielleicht was los.
Brechend voll! Kein Platz frei. Millie schaut
dreimal in die Runde.

»Da, Papa! Dahinten, da hauen gerade welche
ab. Schnell, Papa. Halt uns die Plätze frei!«

Aber bevor Papa sich noch besinnt, flitzt
Millie los. Andere Leute halten auch ihre
Augen auf!

Millie gewinnt! Ach, es gibt nichts Schöneres,
als im Meckimeck einen freien Tisch zu
ergattern. Dieser hier hat sogar eine Sitzbank.
Mit rotem Polster.

Schnell hinsetzen. Die Füße sagen danke
schön. Und dann den Rucksack ablegen.

Wie sieht es denn im Meckimeck aus?

Toll sieht es aus!

Die Wände ringsum sind mit Bildern von
New York bemalt. Tausend Wolkenkratzer!
Manche sind ein bisschen schief und krumm.
Das macht überhaupt nichts.

Überall sind Lautsprecher aufgehängt.
Aus ihnen dröhnt Dudelmusik. *Dabbeldu,
dabbeldai*. Und da oben in der Ecke baumelt
sogar ein Fernseher. Der dudelt auch. Man

versteht kein Wort, aber das macht auch nichts.

Wo bleibt Mama?

Sie hat sich in eine der langen Warteschlangen vor der Theke eingereiht. Hoffentlich bringt sie was Anständiges mit. Pommes?

Ja, Pommes mit Ketschup und Pommes mit ohne Ketschup. Hamburger mit Ketschup und Hamburger mit ohne Ketschup.

»Lecka«, sagt Trudel. Sie hat ihren Hasenrucksack ebenfalls auf die Sitzbank geschmissen, aber sie hält ihn an einem Ohr fest. Mensch, so einen abgelutschten alten Plüschhaufen wird doch keiner klauen.

Mama hat auch Servietten mitgebracht, Zitronenlimonade und Cola. Die Cola ist für die großen Leute. Aber Mama lässt die kleinen ein bisschen dran nuckeln, oh, wie gut das tut.

Mama ist glücklich in New York. Sie hat das gleiche Glitzern in den Augen wie rundum der Glitzerplatz.

»Ja«, sagt sie. »So habe ich mir die Mitte der Welt immer vorgestellt.«

Wie einen Rummelplatz?

»Es ist das Leben hier«, sagt Mama. Sie spielt mit den Salz- und Pfefferstreuern, die auf sämtlichen Tischen herumstehen. »Als ob jeder auf seine Art glücklich sein könnte, wenn man ihn nur lässt.«

Mama braucht nur ein kleines Glück. Wenn man sie lässt.

»Am liebsten würde ich die Salz- und Pfefferstreuer mitnehmen«, sagt sie verträumt. »Stellt euch vor, wir hätten solche kleinen Fässchen vom Times Square zu Hause.«

»Das ist dann Kunst«, sagt Millie. Wie das Luftballonsofa vom Oma-Museum. Man kann es nicht richtig verstehen, dass es Kunst sein soll, aber das sagt man nicht.

»Es ist nicht Kunst, sondern Kult«, sagt Mama. »Wir würden zu Hause jeden Tag an New York denken, stellt euch das vor.«

Was Kult ist, weiß Millie nicht genau, vielleicht was mit Kultur. Das hat Frau Heimchen ihnen schon mal in der Schule erklärt, aber Millie hat es nicht richtig kapiert.

»Das lässt du schön bleiben«, sagt Papa. Er sagt es so, als wäre Mama noch ein Kind. Mama seufzt. »Aber es wäre so schön«, sagt sie. »Und die haben hier doch so viele davon.«

Mama hat Recht. Gleich nebenan, auf dem Tisch, der jetzt frei wird, stehen sogar vier Streuer, das ganze Mecki-meck ist voll davon, immer als Pärchen, eins weiß und eins braun. Und Mama kann sagen, was sie will, Kunst oder Kult, auf alle Fälle wäre es ein Andenken.

Millie muss überlegen. Aber erst mal will sie mit den Pommes fertig werden. Auch das kleinste Stückchen wandert in den Mund. Es wäre sonst schade drum.

Finger ablecken.

Finger an der Hose abwischen.

Nun kann Millie sich umschauen.

Mama und Papa kümmern sich um Trudel. Die hat sich den Ketschup ums Mäulchen geschmiert, bis zu den Ohren hinauf.

Millie sieht in die Runde. Niemand beachtet sie. Alle sind mit Essen beschäftigt. Oder mit Händchenhalten. Oder mit Kinderschnuten-Sauberwischen.

Auch auf die Spiegelsäule guckt Millie. Ob
sie auch nicht heimlich beobachtet wird.
Nein, alle sind mit irgendwas beschäftigt.
Millie grapscht sich eine Serviette und faltet
sie auseinander.
Schön groß ist die. Gut zu gebrauchen.
Vorsichtig lässt Millie ihre Hand über die
Sitzbank gleiten. Und schließlich krabbeln die
Finger hoch und greifen nach einem Salz-
streuer. Das ist der weiße.
Niemand hat es gesehen.
Millie ist so zufrieden, dass sie breit grinsen
muss. In aller Ruhe wickelt sie die Serviette
um das Fässchen. Es rutscht ganz einfach in
ihren Rucksack und ist verschwunden.
Wie glücklich Mama sein wird!
Eine große diebische Freude ist Millie ins
Gesicht geschrieben. Hoffentlich merkt das
keiner. Millie kann nicht anders, sie muss
sogar singen: »Dabbeldu, dabbeldai.« Aber
das hört sowieso keiner. Bei dem Lärm hier!

Die Eismaschine

Wie gut, dass sie nach den vielen, langen
Fußmärschen wieder im Hotel sind.
Der Fahrstuhl saust nach oben wie nix,
siebter Stock, dreiundzwanzigster Stock,
dreiunddreißigster Stock, klimbim, alles
aussteigen.
Im Flur neben dem Fahrstuhl hängt ein
Schild mit einem Pfeil, der nach rechts zeigt:
ICE MACHINE. Könnte es sein, was Millie
denkt?
Mama bestätigt das.
»Ja, das wird eine Eismaschine sein«, sagt
sie, während sie über den Flur zu ihrem
Zimmer gehen. »Die Amerikaner verbrauchen
schrecklich viel Eis.«
Aha!
»Kann man sich da einfach so Eis holen?«,
will Millie wissen. Mir nichts, dir nichts,
meint sie.

»Ich glaube schon«, sagt Papa und schließt das Hotelzimmer auf.

Hm. Mir nichts, dir nichts könnte also wirklich stimmen. Man kann sich im Hotel auch einfach so die Schuhe putzen. Dafür gibt es ebenfalls eine Maschine. Knopf drücken und los geht's. Die Bürsten drehen sich und rubbeln das Leder blank, dass die Schuhe nur so lachen.

Eine Eismaschine? Das ist ja wunderbar. Komisch, dass Mama und Papa gar nicht aufgeregt sind.

Erst mal ausruhen. Hausschuhe anziehen und Hände waschen. Millie und Trudel werfen sich auf das große Elternbett und robben über die weichen Kissen.

Papa hat den Fernseher angemacht und zappt mit der Fernbedienung rum. Überall nur quatschiquatschiquatschi. Und Trudel wird bestimmt bald pennen. Sie nuckelt an ihrem Daumen und hat schon ganz verschwommene Augen.

Millie legt sich bäuchlings aufs Bett. Sie lässt Kopf und Arme baumeln und sucht nach Pavianen. Aber Affen zählen ist nicht so toll.

Da fällt ihr ein, dass sie ja noch eine
Überraschung parat hat. Der Salzstreuer!
Millie setzt sich so abrupt auf, dass Trudel
ihre halb geschlossenen Augen vor Schreck
weit aufreißt. Was ist denn los?
Millie zieht ihr Rucksäckchen zu sich. Packt
die Trinkflasche aus, die Papiertaschentücher
und das Adressbüchlein. Und das Geld für
den Notfall. Fünf Dollar!
Und da ist auch die Serviette.
»Mama, mach mal die Augen zu!«
»Wozu?«
»Bitte, bitte.«
»Mach keinen Blödsinn, Millie. Was willst du
wieder anstellen?«
»Nichts.«
»Millie?«
»Dann wickel doch mal das Päckchen aus,
Mamilein.«
Millie hat sich auf die Knie gehockt und
Trudel ist auch eine neugierige Ziege. Ihr
Daumen ist aus dem Mund geflutscht. Sie
sitzt ebenfalls aufrecht. Nur Papa guckt weiter
TV. Sport.
Mama schaut Millie komisch an. Braucht sie

doch nicht. Gleich wird sie sich freuen. Und wie!

Mama wickelt die Serviette aus.

Und was sieht sie?

Den Salzstreuer!

Millie hopst vor lauter Freude auf den Knien über das Bett, dass es ordentlich wackelt. Die Freude in ihr ist wie ein Springball. Millie kann gar nicht anders, als in Bewegung zu bleiben. Hops, hops, hops.

»Millie!«

Wenn Mama in diesem Ton »Millie!« ruft, wird Papa aufmerksam.

Was hat Millie wieder angestellt?

»Millie! Was hast du dir dabei gedacht? Du kannst doch nicht einfach irgendwelche Dinge mitgehen lassen!«

Aber es war doch ganz einfach!

»Weißt du, was das bedeutet? Weißt du das? Dass du gestohlen hast! Was macht man denn mit Leuten, die klauen?«

Die kommen ins Gefängnis. Aber man muss sie erst kriegen. Oder sie müssen verraten werden. Mama und Papa würden Millie doch nie im Leben verraten. Oder?

»Weißt du, was du bist? Du bist eine Diebin!«
Aber es ist doch nur ein Andenken! Und
Mamas Augen haben so geleuchtet, als sie
sich vorstellte, dass sie einen Salzstreuer von
Meckimeck besitzen würde. Von Meckimeck
am Glitzerplatz. Und jetzt macht sie wer weiß
was für ein Theater.
Sie hat Papa längst angesteckt. Es geht immer
abwechselnd.
»Das ist ja nicht zu fassen. Ich hätte nie
gedacht, dass meine Tochter klauen würde.
Niemals hätte ich das gedacht.«
Millie heult. Das reicht aber noch nicht, das
Theater zu beenden. Mama und Papa sind ein
Chor und ein Orchester. Sie schmettern ihre
Sätze abwechselnd raus wie Trompetenstöße.
»Du weißt doch, dass man das nicht tut«,
sagt Mama. »Willst du wirklich eine Diebin
sein?«
Millie hat sich noch nie in ihrem Leben so
missverstanden gefühlt. Sie wollte Mama
doch nur eine Freude machen. Und was
ist dabei rausgekommen? Geschimpfe und
Geschrei. Und Trudel glotzt auch noch so
doof.

»Du bist mir vielleicht eine«, sagt Mama mit ganz komischer Betonung.

Das reicht jetzt aber. Millie zieht ihre Nase kräftig hoch.

»Und du bist vielleicht eine dumme Kuh!«, brüllt Millie zurück.

Oha. Das hätte sie wohl lieber nicht sagen sollen.

»Was? Wie bitte?«

Nix.

Aber nun geht's richtig los. Mama und Papa werden sehr böse mit Millie, sehr, sehr böse.

Millie schnieft und schnauft.

Und Trudel weiß gar nicht, was sie machen soll. Sie schaut entsetzt von einem zum anderen, dann kriecht sie ein bisschen vorwärts und patscht ihre Hand auf Millies Knie. Na, immerhin etwas.

Sind Papa und Mama jetzt endlich fertig? Ist es nun gut?

Papa sagt: »Millie, du wirst den Salzstreuer

bei nächster Gelegenheit zurückstellen. Ist das klar?«

Millie nickt.

Sie kriegt noch einen Schluckauf, so einen komischen, der von ganz tief unten in ihr hochsteigt und für den sie gar nichts kann. Hicks.

Die eine Sache scheint nun aber erledigt zu sein, die Sache mit dem Salzstreuer. Die andere Sache ist das, was sie zu Mama gesagt hat. Das ist ihr nur so rausgerutscht. Wie kann sie das denn wieder gutmachen?

Was soll Millie sagen? Was ihr einfällt, ist kaum über die Lippen zu kriegen. Aber dann flutscht es doch raus.

»Du bist auch gar keine dumme Kuh, Mama«, sagt sie ganz schnell und fast tonlos, aber alle können es hören, weil Papa ja den Fernseher längst abgeschaltet hat. Und Millie fügt hinzu: »Du bist doch eine liebe Kuh.«

Mama guckt Papa an und dann schnell weg, in die Ecke, und Papa schaut rasch aus dem Fenster.

Mama sagt: »Schon gut, Millie. Aber so was will ich nie mehr von dir hören.«

Kuss, Mama, Kuss? – Kuss.

Ach, wie gut es Millie nun geht. Sie kann wieder fröhlich auf dem Bett herumhopsen. Trudel ist inzwischen auch putzmunter geworden.

Und war da nicht noch was?

Ach ja, die Eismaschine!

Gegen ein Eis hätte Millie jetzt nichts einzuwenden. Ob jemand mit ihr zur Eismaschine geht?

»Die Eismaschine ausprobieren?« Papa stöhnt. Er hat seine Schuhe schon ausgezogen und die Beine hochgelegt. Papa ist zu nichts mehr zu bewegen.

»Geh doch mit Trudel hin«, sagt Mama. »Ihr könnt unsere Zimmertür weit offen lassen. Die Maschine befindet sich direkt um die Ecke. Nehmt aber am besten eure Zahnbecher mit. Die sind sauber.«

Gibt es denn an der Eismaschine keine Waffelhörnchen?

Na schön. Die Zahnbecher sind ja noch nicht gebraucht. Sie werden nämlich jeden Tag neu und in Folie verpackt vom Zimmermädchen ins Badezimmer gestellt.

Das Zimmermädchen ist eigentlich kein Mädchen, sondern eine Frau. Sie ist schwarz. Viele Leute, die im Hotel arbeiten, sind schwarz. Millie sieht schon gar nicht mehr, ob einer schwarz ist oder weiß. Das ist nämlich so in Amerika. Das ist normal.

Millie und Trudel laufen in ihren Hausschlappen über den Flur. Sie lassen die Tür weit auf, wie Mama das vorgeschlagen hat. Jetzt schleichen sie am Fahrstuhl vorbei. Dann gucken sie im Flur noch aus dem Fenster, weil man von da aus so schön den Hatschi-Fluss sehen kann. Von hier aus ruft Millie leise: »Miss Mami!«

Mama beugt sich vor. Es ist beruhigend zu wissen, dass Mama sie sehen und hören kann. Sonst ist kein Mensch weit und breit.

Millie und Trudel laufen um die Ecke. Nun ist Mama auch verschwunden.

Aber keine Angst! Da, an der Wand, steht ja schon die Eismaschine.

Was für ein seltsamer Kasten das ist. Er sieht ein wenig aus wie die Softeismaschine vor dem Kaufhaus. Aber ohne Tropfnase. Und Waffelhörnchen gibt es auch nicht. Wie gut, dass Millie und Trudel ihre Zahnbecher mitgenommen haben.

Wie funktioniert denn das hier? Wo wird das Eis rauskommen?

Eigentlich müsste es einfach sein. Es gibt nur einen Hebel und ein Hinstellgitter. Das wird für den Zahnbecher sein.

Trudel sieht aufmerksam zu. Millies Becher steht auf dem Gitter, aber Trudel hat ihren noch fest an die Brust gedrückt. Sie scheint sehr gespannt zu sein.

Millie auch.

Nun geht's los.

»Achtung«, sagt Millie.

Sie drückt den Hebel runter.

Nichts passiert.

Ach ja, irgendwo müsste man ja noch wählen können, ob man Vanille haben möchte oder Erdbeer oder Schoko. Aber sicherlich gibt es hier nur Vanilleeis. Keine freie Auswahl.

Millie wird es gleich noch einmal probieren. Wahrscheinlich muss man den Hebel ziehen. Vorsichtshalber nur ein winziges Stückchen. Aber da geht es sofort los.

Und wie es losgeht!

Da klickern und klackern plötzlich tausend eiskalte Luftblasen aus der Maschine, durchsichtige Kügelchen, die blitzschnell den Zahnbecher gefüllt haben und auch auf das Hinstellgitter prasseln. Die Eisblasen schießen aus der Maschine und hören und hören nicht auf damit. Millie ist so erschrocken, wie gelähmt, dass sie vergisst, den Hebel wieder loszulassen. Die Eiskugeln prasseln aus der Maschine, sie springen über den Becher und über das Hinstellgitter, sie knallen auf die Erde, ja, ganze Berge durchsichtiger Luftblasen haben sich um Millies und Trudels Füße gehäuft. Sie fangen rasch an zu schmelzen, die Schlappen werden nass.

Trudel hat ihr Mäulchen aufgerissen. Ihre Augen sind weit geöffnet, sie starrt Millie an.

Aber Millie weiß doch auch nicht!

Keine Ahnung!

Millie bräuchte jetzt ein wenig Zeit zum Überlegen. Vielleicht müsste man der Maschine eins reinhauen, damit sie aufhört, Eiskugeln zu spucken. Mannomann, der Teppichboden mit den Pavianköpfen ist schon pitschepatsche nass. Ein See breitet sich aus.

Endlich kann Millie sich rühren. Sie lässt den Hebel los. Der ganze Spuk ist sofort vorbei. Mucksmäuschenstill ist es geworden, nur der See auf dem Affenteppich wird größer und größer. Ist das schlimm? Ach, das wird doch wohl irgendwann trocknen.

So ist das also: Es gibt solche Eismaschinen und andere Eismaschinen. Das hat Millie nicht gewusst. Aber eigentlich hätten Mama und Papa doch wissen müssen, was Millie meint, wenn sie an Eis denkt. Sie hätten Millie warnen müssen. Dass man aber auch immer alles selber rausfinden muss!

Trudel ist ziemlich erschüttert. »Meinegutti«, sagt sie. Ihre Nase hat sie kurz und klein gekraust und die Zehen in ihren Schlappen gespreizt. Wahrscheinlich sind die Füße pitschepatschenass.

Halt bloß die Klappe, Trudel. Mama und Papa haben von der Überschwemmung nichts mitbekommen, das ist die Hauptsache. Sie haben nämlich den Fernsehapparat wieder angestellt und schauen sich an, was der

Präsident von Amerika zu sagen hat. Quatschiquatschiquatschi.

»Na?«, sagt Mama nur kurz, als Millie und die kleine Schwester wieder auftauchen. »Alles klar?«

»Hmhm«, maunzt Millie. Sie verschwindet mit Trudel im Badezimmer. Schlappen ausziehen und Söckchen auf die Heizung legen.

Die Zahnbecher kommen zurück aufs Waschbecken. Aber Trudel jammert: »Tinken, Millie, tinken.«

Millie gibt ihr Wasser aus dem Hahn. Doch Trudel passt nicht auf. Sie verschlabbert das Wasser über ihr T-Shirt. Auch das noch!

»Du bist vielleicht eine dumme …«, sagt Millie. Aber dann verbessert sie sich noch rechtzeitig. »Du bist vielleicht ein dummes Kälbchen«, sagt sie und fügt hinzu: »Das darf man sagen, Trudel. Das kannst du mir ruhig glauben.«

Heiliger Johannes

Heute gibt es ein schnelles Frühstück. Millie weiß auch, warum sie dazu zu Meckimeck gehen. Sie hat da noch was zu erledigen, wie könnte sie das vergessen. Sonst wäre sie ja auch ein Maffi-Mann.

Zum Frühstück gibt es Rührei und Weißbrotbällchen und Braunies. Das Einzige, was Millie schmeckt, sind die Braunies. Trudel isst die Brotbällchen und Papa Rührei. Das mag er gern. Mama macht eine Extratour. Sie hat sich für ein wabbeliges Quarkstückchen entschieden. *Dänischer Käse* heißt das. Das ist doch Käse!

Während Millie an ihrem Braunie knabbert und Trudel ihr Bällchen zerpflückt, muss Millie immer wieder die schönen Salz- und Pfefferstreuer anschauen. Wie sie da auf den Tischen stehen, sehen sie wie erhobene Zeigefinger aus.

»Na, Millie?«, mahnt Papa.

Millie weiß natürlich sofort Bescheid, was Papa meint, und greift nach ihrem Rucksack. Ach du Schreck, sie hat das Salzfässchen doch tatsächlich im Hotel vergessen. Nun steht es immer noch auf dem Nachttisch. Na so was! Sie sagt: »Nächstes Mal, Papa, aber ganz bestimmt.« Mehr kann keiner von ihr verlangen.

»Freundchen«, sagt Papa.

Millie atmet auf.

Vom Meckimeck kann man direkt auf eine riesige Verkehrsinsel mitten auf dem Glitzer-platz schauen. Dort steht eine Bude, auf der vier große Buchstaben zu sehen sind: TKTS. Vor der Bude wartet eine lange Menschenschlange. Die ist so lang, dass es dort bestimmt was umsonst gibt.

Nee, auch in New York gibt es nichts umsonst, aber zum halben Preis.

»Eintrittskarten«, sagt Mama. »TKTS steht für *Tickets*.«

»Für ein Fußballspiel?«, fragt Millie.

»Für Theateraufführungen«, erklärt Mama.

»Oder für ein Musical.«

»Musical?«

»Das ist ein Theaterstück, bei dem gesungen wird.«

»Die Vogelhochzeit«, sagt Millie.

Dass ihr das jetzt aber auch einfallen muss! Wenn sie *Vogelhochzeit* hört, muss sie immer an den Uhu denken, der sie in der Schule so schrecklich nervt. An den will sie gar nicht erinnert werden. Aber dann fällt ihr ein, dass sie in London schon mal in einem Musical war. Das war lustig, aber einmal Musical hat gereicht. In New York werden sie nicht ins Theater gehen. Aber sie werden eine Busfahrt machen, da werden die Füße geschont.

»Am besten nehmen wir einen der roten Hop-on-hop-off-Doppeldecker«, schlägt Papa vor. »Da können wir aussteigen, wo wir wollen, und später wieder in den nächsten Bus einsteigen, der vorbeikommt.«

Prima ist so ein Hoppel-rein-hoppel-raus-Bus. Man kann oben oder unten sitzen. Oben sitzt man an der frischen Luft und hat die beste Aussicht.

Der erste Bus, mit einer schwarzen Bustante, ist quatschnass. Noch vom gestrigen und

vom vorgestrigen und vom vorvorgestrigen
Regen. Oben kann man gar nicht sitzen, auch
wenn die Bustante die Bänke mit Küchentuch
abzuwischen versucht. Das nützt nichts. Und
wenn sie die ganze Papierrolle verbraucht!
Nur Trudel merkt das nicht. Sie versucht, sich
allein auf die Bank zu setzen, und hat sofort
einen nassen Hosenboden. Das sieht vielleicht
aus! Als ob sie gerade Pipi gemacht hat.
Unten im Bus ist es auch feucht. Das Wasser
fließt von oben durch die Fenster rein. Mama
und Papa haben sich nahe dem Mittelgang
hingesetzt und nehmen die Kinder auf den
Schoß. Auch Millie! So bleibt der Hintern
trocken.
Einige Leute, die sich auch auf die Hoppel-
rein-hoppel-raus-Tour gefreut haben, müssen
sogar innen im Bus ihre Regenschirme
aufspannen, weil das Wasser durch alle Ritzen
spritzt. Das ist lustig, aber es ist auch blöd.
Ein Bus ist doch kein Aquarium!
Mama schlägt vor, schnell aus dem Bus
wieder rauszuhoppeln, gleich an der nächsten
Haltestelle. Und später dann in einen
trockenen Bus reinzuhoppeln.

Die erste Station ist eine Kirche, St. John's the Divine, das kann man gar nicht behalten, es ist ein schwieriger Name, verflixt und zugenäht. Mama übersetzt ihn für Millie, Mama ist klug.

»Sankt Johannes, der Göttliche«, sagt sie.

»Der heilige Johannes ist gemeint.«

Millie kennt ihn nicht. Gehört hat sie nur vom heiligen Nikolaus, vom heiligen Sankt Martin und vom heiligen Strohsack.

So eine große Kirche wie die vom heiligen Johannes heißt gar nicht Kirche, sondern Kathedrale. Man muss zig Stufen hinaufklettern, um reingehen zu können.

Schon wieder laufen, dabei tun die Füße noch von gestern weh.

Mama und Papa und die Leute, die den quietschnassen Bus ebenfalls verlassen haben, verschwinden im dunklen Eingangstor der Kirche. Millie und Trudel müssten ihnen eigentlich sofort folgen, aber Millie hat gerade jetzt was Schönes entdeckt. Das Schöne befindet sich draußen vor der Kirche und ist ein Eichhörnchen.

Millie zieht Trudel mit sich. Die Schwester

schaut zwar ein bisschen blöd drein, doch
sie weiß wohl, wenn sie mit Millie geht, ist
wenigstens was los.

Das Eichhörnchen ist pechschwarz und hat
einen herrlich buschigen Schwanz. Es springt
auf dem obersten Treppenabsatz vom heiligen
Johannes hin und her und sucht nach Nüssen.
Es gibt keine Nüsse vor der Kathedrale.

Armes Eichhörnchen!

Vielleicht tut's ja ein Pfefferminzchen?
Pfefferminzchen sind doch auch zum
Knacken und Knabbern da.

Millie kramt in ihrem Rucksack. Trudel sperrt
ihr Mäulchen auf, sobald sie merkt, was Millie
vorhat.

»Nein, nein, nein«, sagt Milllie und streckt
ihre Hand mit einem Pfefferminzchen dem
Eichhörnchen entgegen.

»Miez, miez.«

Kann man Eichhörnchen damit locken? Millie
weiß nicht recht. Sie schaut Trudel an.

Trudel fällt noch was Dooferes ein. »Miau,
miau«, sagt sie.

Aber das Hörnchen ist bei seinem Hin- und
Hergehopse wenigstens stehen geblieben und

wendet das Köpfchen. Wie süß es ausschaut! Millie ist sich sicher, dass es auch das Pfefferminzchen in ihrer Hand entdeckt hat.

»Miez, miez.«

Aber das Eichhörnchen spricht wohl eine andere Sprache. Millie versucht es mit »psss, psss«.

Neugierig ist das Hörnchen schon, es würde sicherlich auch gleich kommen, aber Trudel ist ein Spielverderber. Plötzlich vermisst sie die Mama, sie jammert rum und zieht Millie an der Hand.

Millie bleibt nichts anderes übrig, als das Pfefferminzchen in die Nähe des Eichhörnchens zu werfen. Dann muss sie leider gehen, liebes Eichhörnchen.

Im heiligen Johannes brauchen die Augen Zeit, sich an das Dunkel zu gewöhnen.

Wo sind Mama und Papa geblieben? Oh du meine Güte, ganz dahinten am Altar. Schnell hin zu ihnen.

Doch jetzt kommt ein Kirchenmensch.

Schwarzer Anzug. Weißer Kragen.

Der Kirchenmensch versperrt Millie und Trudel den Weg. Dürfen Kinder denn nicht

allein zum heiligen
Johannes? Aber sie sind
ja gar nicht allein. Da
vorne … dahinten …
Der Kirchenmensch
legt seinen Finger auf
den Mund. Er redet
ohne Stimme zu ihnen
und Millie kann das, was er flüstert, sowieso
nicht verstehen. Sie ist ja keine Amerikanerin
und erst eine halbe New Yorkerin.
Neben dem Kirchenmensch steht eine
Zigarrenkiste. Es sind aber keine Zigarren
drin, sondern Geld. Jetzt kapiert Millie, dass
sie bezahlen muss, um zu Mama und Papa zu
gelangen. Muss sie auch für Trudel zahlen?
Meistens ist für die kleine Schwester alles
umsonst.
Millie schnaubt durch die Nase. Sie findet den
Kirchenmensch richtig gemein. Aber was soll
sie machen? Nachher gehen Mama und Papa
noch auf der anderen Seite aus der Kathedrale
hinaus und man findet sie nie wieder. Der
Hoppel-rein-hoppel-raus-Bus ist auch nicht
mehr da. Und wann kommt der nächste? Und

wohin fährt er? Und wo werden Mama und Papa dann sein?

Am liebsten würde Millie jetzt ganz laut nach Miss Mami rufen. Aber eine Kirche ist heilig. Pschschsch, Finger auf den Mund.

Millie wird bezahlen müssen. Das ist doch jetzt ein Notfall. Ihre fünf Dollar müssen her. Millie lässt den Rucksack runtergleiten und zieht schon den Riemen aus der Schlaufe.

Werden fünf Dollar überhaupt reichen? Oder nimmt der Kirchenmensch auch bloß drei? Oder ist sogar ein Dollar genug?

Zum Glück kommen in diesem Moment Papa und Mama nach vorne.

»Kinder, Kinder, Kinder«, sagt Papa. »Wenn man euch nur eine Minute aus den Augen lässt …«

Wenigstens kann Millie jetzt ihre fünf Dollar behalten. Den heiligen Johannes hat sie nun allerdings nicht gesehen.

Ist das schlimm?

Nee, macht gar nichts.

Aber schade, dass das Eichhörnchen inzwischen verschwunden ist.

Hat es das Pfefferminzchen aufgefuttert?

Nein. Es hat wohl zu wenig nach Nuss geschmeckt und zu viel nach Pfefferminz.
Einsam und verlassen liegt das Pfefferminzchen auf der Treppe. Millie muss immer hinschauen, es ist einfach schade drum.
Trudel starrt auch hin, und dann, eins, zwei, drei ist sie ausgebüxt und hat sich das Pfefferminzchen flugs in den Schnabel gesteckt.
Iii.
Darf man so was überhaupt machen? Der Boden ist doch ganz dreckig.
Nein.
Und fällt man nicht gleich tot um?
Nein.
»Schmeckt das?«, fragt Millie und sieht Trudel skeptisch an.
»Lecka«, sagt Trudel, während ihr die Pfefferminztropfen aus den Mundwinkeln quellen.
Da kommt ein Hoppel-rein-hoppel-raus-Bus um die Ecke geschossen.
Oben rauf?
»Er ist trocken«, ruft Millie.
Na, dann nichts wie los.
Von oben kann man toll gucken. Man kann

von hier aus alles von New York sehen, alles hören, alles riechen.

In New York riecht es nach Essen und nach Mülleimer. Und auf allen Seiten quietscht es und überall heult es. Und schaut euch mal die vielen gelben Taxis an! Sie fahren und hupen und fahren und hupen. Alles brüllt, die Menschen, die Autos, die ganze Stadt, nur die U-Bahnen drunten in den Schächten jaulen.

Und überall, überall tun einem die Füße weh.

Hoppel rein, hoppel raus

Der Hoppel-Bus, mit dem sie jetzt durch
Män-hät-tän fahren, hat einen Reiseleiter.
Der ist weiß und er ist ein Zappelphilipp. Er
steht vorne auf dem Oberdeck und hampelt
und pampelt herum, als hätte er Rappel-
wasser getrunken. Er steht verkehrt herum,
das heißt, er sieht die Leute an, aber er weiß
nicht, was ihn von hinten erwischen kann,
du meine Güte.
Zappelphilipp quatscht sich dumm und
dämlich. Millie versteht kein Wort. Das spielt
auch keine Rolle. Sie guckt nur, ob er von
einem Ast oder von einer Laterne getroffen
wird und über Bord fliegt. Das ist spannend.
»Look at nice Central Park«, sagt Zappelphilipp. Aber Millie kann nicht luckilucki
machen und auf den Stadtpark schauen,
sie sieht nämlich schon eine Katastrophe
kommen. So dicht fahren sie an den Bäumen

vorbei und so hoch ist der Bus, dass was passieren muss. Achtung! Ein armdicker Ast hängt über der Fahrbahn und der Bus prescht genau auf ihn zu. Kein Ausweichen möglich.

Jetzt ist Zappelphilipp aber geliefert.

Nö, ist er gar nicht. Im letzten Moment bückt er sich, im allerallerletzten Moment. Die Leute oben auf dem Doppeldeck haben schon vor Schreck geschrien.

Hat der Zappelphilipp denn hinten Augen im Kopf?

Na ja, Millies Füße können im Dunkeln sehen, wenn sie sich nachts aus dem Kinderzimmer in die Küche schleicht, weil sie sooo einen Durst hat. Aber so was kann nur Millie!

Wenn die Fahrgäste aufschreien, freut sich Zappelphilipp. Er wird die ganze Tour auswendig gelernt haben und weiß genau, an welcher Stelle es gefährlich wird, wo die tief hängenden Zweige sind oder ein Straßenschild herabbaumelt. Er macht das alles extra! Aber es gibt Millie doch jedes Mal einen Stich in die Magengegend.

Ansonsten ist so eine Busfahrt natürlich viel gemütlicher als ein Fußmarsch. Jetzt ist die Sitzbank trocken. Der Wind fegt um die Ohren. Ab und zu nimmt Millie einen Schluck aus ihrer Trinkflasche. Dann will Trudel auch was trinken.

»Ich werd noch verrückt«, sagt Mama jedes Mal. »Dass ich immer diese blöden Hasenohren … diese blöden Hasenohren …«

»… auf- und zupuddeln muss«, hilft Millie.

»Ja«, sagt Mama. »Mir fiel das richtige Wort nicht ein.«

Das hat Millie sich auch gerade erst ausgedacht.

Mama möchte viel lieber New York angucken. Die schicken Häuser der reichen Leute am Park, zum Beispiel.

Mama weiß, wer hier gewohnt hat.

»Du kennst sie nicht«, sagt Mama zu Millie. »Das sind Filmschauspieler oder Präsidentenfrauen oder Musiker gewesen.«

»Sag doch mal!«

»John Lennon und Jackie Kennedy und Katherine Hepburn und Spencer Tracy.«

Wer? *Schön Flennen* und *Jeck-dich-kenne-ich*? Mama kennt diese Leute aus der Zeitung.

Es ist komisch, dass alle berühmten Leute

tot sind. Wie Miss Marilyn. Und wie sie alle heißen: *Kätzlein Häppchen*, *Spinner Tee-Zeh*. Oder wie?

Und was ist mit Miss Libby? Ob Zappelphilipp auch bei ihr vorbeifahren wird?

Die reichen Leute haben sich in ihren Häusern verkrochen. Oder sie fahren in Raupenautos durch die Gegend, in die man nicht reingucken kann. Aber die armen Leute laufen in New York auf der Straße herum. Zappelphilipp kennt sie alle. »He, Susan, meine Süße, komm rauf zu mir!«, ruft er. »Hatten wir heute nicht eine Verabredung?« Mama kommt vor lauter Lachen kaum dazu, für Millie zu übersetzen. »Hallo, Billy, mein Kumpel! Wolltest du mich nicht mal zum Mittagessen einladen?«

Hilfe! Da haben sie doch quer über die Straße eine elektrische Leitung gespannt. Jetzt wird der Depp aber geköpft! Millie zuckt schon zusammen, aber ratzfatz taucht der Zappelphilipp unter, zieht seinen Detz ein und ist gerettet.

Zappelphilipp kennt nicht nur die Namen aller New Yorker, er hat auch die Namen sämtlicher Wolkenkratzer auswendig gelernt: Rockefeller Center, Trump Tower, Chrysler Building, Empire State Building und tausend andere Hochhäuser.

Das Rockyfell kennt Millie inzwischen. Das ist der Wolkenkratzer mit dem nackten Pommy davor. Der Trampel Turm sieht aus, als wäre er aus reinem Gold gebaut, schick, schick, schick, und das Kreisel-Hochhaus hat eine Mütze aus Autoschrott. Sieht gut aus. Das möchte Millie fotografieren.

»Papi, lass mich mal knipsen, bitte, bitte, Papi.« Papa guckt wie saure Gurken. Aber mit so vielen Leuten im Bus macht er kein Theater. Und Millie wird den Fotoapparat schon nicht kaputtmachen.

Papa soll später auch auf dem Foto zu sehen sein. Dann kann Millie ihm mal zeigen, wie ein Saure-Gurken-Gesicht aussieht.

»Noch ein bisschen nach hier, Papi. Ist das links, Papi?«

»Vor dir aus links, von mir aus rechts«, knurrt Papa.

»Und jetzt noch ein Stückchen nach rechts, Papi.«

»Also, was denn nun?«

»Von mir aus rechts, von dir aus links!«

Es wird ein tolles Foto werden! Millie hat
Papa so dirigiert, dass die Schrottmütze
genau über seinem Kopf sitzt. Schön blöd
sieht das aus!

Aber jetzt muss sich Millie wieder ordentlich
auf den Hintern setzen, denn Zappelphilipp
lässt den Bus scharfe Kurven fahren, damit
sie auch schnell die nächste Sehenswürdigkeit
erreichen. Und da möchte Mama – so
fröhlich die Tour mit Zappelphilipp auch
ist – wieder aus dem Bus raushoppeln.

»Hier ist nämlich der schönste Bahnhof der
Welt«, sagt Mama. »Den dürfen wir uns nicht
entgehen lassen.«

»Warum nicht?«

»Weil dort die größte Uhr der Welt zu sehen
ist.«

Ob man das den New Yorkern glauben
soll? Ist denn hier alles am größten und am
schönsten? Haben sie hier die schnellsten
Taxis, die leckersten Braunies und die beste
Cola? Die mächtigste Bärenpfote?

Ja, so ist das.

Zappelphilipp bringt sie vom Oberdeck hinunter und verabschiedet sich auf der Straße von ihnen. Er küsst Mama auf die Backe und nennt sie auch meine Süße, das hat Millie sich vorhin gemerkt: »My sweetheart«. Aber Mama ist gar nicht seine Süße, Mama ist Papas und Millies und Trudels Süße, so ist das nämlich. Und Millie duckt sich und flitzt am Zappelphilipp vorbei, damit er sie bloß nicht zu fassen kriegt und sich auch noch so was Blödes für Millie ausdenkt.

Die Sonne, die in New York noch immer nicht scheinen will, hat aber den großen Bahnhof von innen erhellt. Sogar der Himmel ist in die Bahnhofshalle gezogen. Er ist blau und türkis, ein bisschen pfefferminzteefarbig mit weißen, leuchtenden Sternen über und über am Firmament. Und schon wieder stehen sie hier wie Räuber Nick, dass der Kopf fast vom Stängel fällt, das hört in New York gar nicht auf.

Mama sucht die große Uhr. Sie findet aber nur eine kleine, die oben fast im Bahnhofs- himmel hängt. Mama ist tief enttäuscht.

Millie möchte Mama trösten. »Aber diese Uhr ist doch schon ein bisschen groß, Mami, sie ist viel größer als unsere Küchenuhr.«

Mama schnaubt verächtlich durch die Nase. Dann läuft sie zu einem Schalter, wo ein Mann mit Käppi Auskunft gibt. Aber vorher muss Mama wieder anstehen. In New York gibt es auch die längsten Menschenschlangen, das sollte Mama doch wissen. Millie hält geduldig Händchen mit ihr, während Papa mit Trudel Zug-Zug-Zug-Zug-Eisenbahn spielt.

Endlich sind sie an der Reihe. Millie hat kaum noch stehen können. Dass man in New York ist, merkt man besonders an den Füßen.

Hat der Mann mit dem Käppi Mama auch richtig verstanden?

»Er sagt, sie haben die Uhr entfernt.« Mama ist ganz verdattert.

»Ach, das glaube ich nicht«, sagt Papa. »Die werden doch so eine berühmte Uhr nicht abmontieren.«

Mama zuckt mit den Schultern. Sie sieht unglücklich aus.

»Wir werden sie suchen«, sagt Papa. »Schau

noch mal genau in deinem Reiseführer nach, was da steht.«

Mama blättert in dem schlauen Buch und Papa blickt über ihre Schulter.

Millie kann es gar nicht haben, wenn Mama unglücklich ist.

»Wir gehen schon mal suchen«, sagt Millie.

Sie hat es laut und deutlich gesagt, alle haben es hören können, Mama hat sogar »hmhm« gemacht und Papa hat genickt.

»Komm, Trudel«, sagt Millie und nimmt die kleine Schwester an die Hand.

Auf die Suche gehen ist besser als immer nur warten, warten, warten. Man sieht viel mehr, wenn man sich umschaut und ein wenig rumläuft.

Der Bahnhof hat vier Ausgänge. Die heißen bestimmt Osten, Westen, Norden, Süden.

Das ist auf der ganzen Welt so. Die Ausgänge könnten hier in Mänhättän aber auch siebzehnte Straße und dreihundertvierund-fünfzigste Straße heißen. Weil in New York alles anders ist. Keine Straße heißt hier zum Beispiel *Stiefmütterchenweg* oder *Am Hasen-berg*.

Man kann in diesem Bahnhof auch nach unten gehen. Und da unten riecht es prima nach Essen.

Unten ist auf der ganzen Welt die Hölle. Aber in New York ist unten das Paradies. Wenigstens unten im Hauptbahnhof.

Du meine Güte, was es hier alles zu essen gibt. Alles, was das Herz begehrt.

»Hast du Hunger?«, fragt Millie die Schwester.

»Jaha«, sagt Trudel.

Trudel geht immer vor. Trudel ist für Millie ganz wichtig. Auch wenn sie manchmal nervt, kommt sie vor allem anderen. Trudel darf zum Beispiel nie verloren gehen. Sie sollte auch nicht weinen. Und sie braucht nie zu hungern. Nicht, solange Millie bei ihr ist.

Millie und Trudel schauen erst mal, was sie hier im Paradies essen wollen. Millie wünscht sich, dass es Bärenpfoten gibt. Eine reicht für zwei.

Falls Mama und Papa nicht gleich kommen, reichen auch bestimmt fünf Dollar für eine Bärenpfote. Für ein Notfall-Essen.

O Backe. Ob Mama und Papa sie überhaupt finden können? Was ist, wenn sie gar nicht

mitgekriegt haben, dass Millie und Trudel
nach unten gegangen sind? Suchen sie etwa
immer noch die blöde Bahnhofsuhr und
haben ihre Kinder vergessen? Das wäre eine
Katastrophe.

Nur die Ruhe bewahren. Millie ist ja nicht
allein. Sie hat Trudel bei sich. Es gibt nichts
Schlimmeres, als ganz allein auf der Welt zu
sein. Oder allein in New York.

Millie kramt erst einmal im Rucksack nach
ihren fünf Dollar. Wenn man Geld hat, sieht
die Sache schon besser aus. Kein Durst und
kein Hunger.

Dann fällt Millie noch ein, dass es auf jedem
Bahnhof einen Lautsprecher gibt. Einen?
Viele! Wenn Mama und Papa sie nicht finden
können, würden sie durch den Lautsprecher
nach ihnen rufen lassen. *Millie* und *Trudel*
heißen auf Englisch bestimmt auch *Millie* und
Trudel.

Aber der Lautsprecher bleibt stumm. Wahrscheinlich, weil Mama und Papa längst in
irgendeiner Ecke stehen und Millie und
Trudel zuwinken wollen.

Millie sucht das ganze Paradies mit den

Augen ab. Nichts ist zu sehen, weil so viel zu sehen ist.

Im Paradies gibt es mindestens fünfhundert Fressbuden. Und vor jeder stehen die Leute Schlange. Und wenn sie schließlich was zu essen bekommen haben, dann jonglieren sie Teller, Tassen und Besteck zu einem Platz, der vielleicht gleich frei wird. Es ist hier so wie im Meckimeck. Millie kennt sich schon aus. Aber sie weiß nicht, in welche Reihe sie sich stellen soll. In die für Hühnchen? Oder soll sie sich in die Schlange für Reis und Gemüse einreihen?

Und was heißt Hühnchen auf Amerikanisch? Es ist ein einfaches Wort, es liegt Millie auf der Zunge. Oder wie heißt Gemüse? Am besten ist, Millie geht auf Nummer Sicher. Es gibt nichts Sichereres als Pizza.

»Magst du Pizza, Trudel?«, fragt Millie und seufzt ein wenig. Trudel hat es gut. Sie hat immer jemanden, der sich um sie kümmert. Sie weiß nicht, welche Sorgen man haben kann.

»Pizza?«

»Lecka«, sagt Trudel.

Pizza verkauft der Heini da vorne am Stand.
Oh, oh. Millie kommt in der langen Reihe
schneller voran, als sie gedacht hat. Als sie
sich gewünscht hat. Jetzt ist sie schon dran.
Ihr wird ein bisschen dunkel vor den Augen.
Das Gesicht vom Heini ist so nah. Und dieser
große Mund, der jetzt was sagt, der jetzt was
fragt.
Millie holt tief Luft.
»Pizza«, sagt sie und zeigt mit dem Finger
auf ein tortengroßes Stück, auf dem viel
Salamiwurst liegt.
Ob das gut geht?
Ja, wieso nicht? Der Heini hat sie verstanden.
Er wiederholt, was Millie bestellt hat,
er spricht es ganz komisch aus, er sagt:
»Piiiiiiiiiiiiiiitsa«, mit einem unendlich langen
Iii.
Am liebsten hätte Millie jetzt noch eine Cola.
Aber wegen Cola kriegt sie immer Ärger.
Lieber keine Cola.
Hat Millie genug Geld? Sie reicht dem Heini
ihre fünf Dollar rüber.
Das ist zu viel! Sie bekommt sogar einen
Dollar zurück.

Na, Papa muss gleich noch was rausrücken,
damit das Geld wieder für einen Notfall
reicht.

Millie balanciert das Pizzastück durch das
Gewühl von Stühlen und Tischen. Kein Platz
ist frei. So ein Pech.

Jetzt müssen sie mitten im Paradies anhalten
und ihre Pizza im Stehen futtern.

Die Schwester darf anfangen.

Trudel hat großen Hunger, ojemine. Millie

hätte zwei Pizzaecken kaufen sollen, aber fünf
Dollar reichen eben nur für einen kleinen
Notfall.

Nun ist es aber wirklich Zeit, dass Mama
und Papa auftauchen. Wenn nicht gleich
was passiert, wird Millie mal mit dem Fuß
aufstampfen. Allmählich ist sie sauer. Und
wütend. Das ist sie immer, kurz bevor sie
heulen muss.

Mama und Papa werden sie doch nicht
verlassen haben wie Hänsel und Gretel?
Nein. Da vorne stehen sie, dort auf der
Treppe, sie schauen sich suchend um. Siehst
du sie, Trudel?

»Jaha«, sagt Trudel.

Winke, winke.

Mama wedelt mit den Armen, wie verrückt,
und Papa schlägt sich mit der flachen Hand
gegen die Stirn. Was das wohl zu bedeuten
hat? Wahrscheinlich nichts Gutes.

»Ich hab's euch doch gesagt.« Millie will
nichts hören, keine Argumente. »Wir gehen
schon mal suchen. Das hab ich euch gesagt.«

»Jaja«, gibt Mama gleich zu. »Aber trotzdem,
Millie, trotzdem.«

»Und Geld brauche ich auch wieder«, fährt Millie fort. »Aber vielleicht ein bisschen mehr, Papa. Für fünf Dollar kriegst du hier nicht viel.«

»Ich weiß nicht, von wem du das hast«, sagt Papa und schaut Millie grimmig an. »Von mir jedenfalls nicht.«

»Ich weiß auch nicht«, sagt Millie. »Aber ich hätte fast geheult, das sag ich euch. In einer Minute hätte ich geheult.«

Mama wischt Trudel den Mund mit einem Papiertaschentuch ab. Trudel isst immer noch wie ein Ferkel. Und sie hat Millie auch nicht viel von der Pizza übrig gelassen. Den harten Rand mit nix drauf.

»Und habt ihr wenigstens die doofe Uhr gefunden?«, will Millie wissen.

»Nee«, sagt Mama. »Wir haben Kinder gesucht.«

Mackis wie Muckis

Hoppel rein, hoppel raus. Das kann man den ganzen Tag lang machen. Auf dem Stadt-plan geht es immer ein Stückchen weiter nach unten. Unten, da ist der Zipfel von Mänhättän. Dort treffen sich der Hatschi-Fluss und der andere Wasserarm, der ist mal rechts und mal links, mal im Osten und mal im Westen, je nachdem, wie man die Karte hält. Man muss aber eine Karte so halten, dass man die Schrift lesen kann, das weiß Millie. Dann ist der andere Fluss im Osten. Wahrscheinlich heißt er auch so: Ost-Fluss.

»Das stimmt sogar«, sagt Mama. »East River.«

Das kann eigentlich nicht sein! Millie hat den Namen doch gerade erst erfunden!

Aber noch sind sie nicht am Zipfelchen angelangt. Sie befinden sich erst in der Mitte vom großen Apfel. Gibt es hier auch was zu sehen? Na klar, in New York gibt es überall was zu sehen. Das größte Kaufhaus der Welt! O Mann! Und Millie hat noch nicht mal ihr Notfall-Geld wieder zusammen, Papa schuldet ihr noch vier Dollar.

Millie buchstabiert die riesigen Buchstaben an der Außenwand: MACY'S. Na, wird bestimmt anders ausgesprochen, aber Millie nennt es Mackis. Mackis wie Muckis. Kann man sich leicht merken.

»Vielleicht gibt es dort Andenken«, sagt Millie leise.

»Bitte?«, fragt Papa.

»Andenken«, sagt Millie ein wenig lauter.

»Hm«, macht Papa.

Hm, denkt Millie.

Aber Papa überlegt sich wohl den Vorschlag.

»Ein gutes Hemd«, sagt er in die Luft hinein.

»Oder eine schöne Bluse«, meint Mama.

Eine echte Barbie-Puppe, denkt Millie. Und sie findet, dass Mama eben echt gelogen hat. Mama interessiert sich gar nicht für Blusen. Sie hätte als Andenken doch so gerne den schönen Salzstreuer. Und am liebsten auch noch den Pfefferstreuer dazu.

Nun haben sie das Kaufhaus betreten. Mann, haben die viele Rolltreppen hier.

So was kennt Millie aber schon.

Sie haben auch viele Klamotten.

Kriegt Millie nicht.

Papa und Mama bekommen ihre Hemden und Blusen auch nicht.

»Viel zu teuer«, sagt Mama.

Alles kostet nämlich viel mehr als fünf Dollar.

Aber im Moment hat Millie nicht mal die.

Sonst könnte sie aushelfen. Falls Mama und Papa Geld bräuchten.

Es gibt auch Barbie-Puppen bei Mackis. Die sind auch zu teuer. Millie weiß plötzlich, was teuer und was billig ist. Es gibt eine Grenze dazwischen. Die Grenze ist fünf Dollar. Das wird Millie sich fürs ganze Leben merken.

Es ist nicht einfach, im Mackis die Klappe zu halten und nicht rumzujammern. Millie fällt viel ein, was sie gebrauchen könnte. Außer einer Barbie-Puppe hätte sie noch gerne den hellgrünen Pulli mit dem dicken roten Apfel drauf oder die Sandalen mit Plattensohle.

Sooo hoch!

»Spinnst du?«, sagt Mama. »Willst du dir

vielleicht die Beine
brechen?«
Mama guckt die Sachen
schon gar nicht mehr
richtig an. Sie schaut nur
noch auf die Preisschilder
und nickt dazu. Ja, so hat sie sich das wohl
vorgestellt: Viel zu teuer.
Aber man kann die Sachen ja auch einfach
bloß anfassen, gell, Trudel? Man kann eine
Hose auf dem Stapel anders herum legen.
Beine vorne, Bündchen hinten, da, wo alle
anderen Falte auf Falte liegen. Millie legt
auch ein paar T-Shirts auf den Bauch. Die
aufgedruckten Löwen müssen schlafen gehen.
Und jetzt lässt Millie sogar einen Spaghetti-
Träger vom Bügel rutschen.
Und Trudel soll sich mal unter dem Kleider-
ständer verstecken.
»Huhu! Wo bist du?«
»Hihi«, ruft die kleine Schwester und steht
auf. Der Kleiderständer wackelt.
»Macht das Spaß, Trudel?«
»Jaha.«
Papa macht dem Spaß ein Ende. Er fängt

den umstürzenden Ständer auf und schaut
schrecklich gewittrig. Man kann sehen, dass
er vom Mackis die Nase voll hat.

Doch Mama ist heute dickköpfig. Sie will alle
Rolltreppen im Mackis abfahren. Bis nach
ganz oben.

Da hat sie nun aber selber Schuld. Denn
im letzten Stockwerk befindet sich ein
Restaurant. Und so kommt es, dass alle auf
einmal Hunger und Durst haben.

Man kann über Mackis sagen, was man will,
aber im Restaurant ganz oben gibt es die
besten Donuts von New York. Die sind so
weich und so süß und so klebrig, dass man
nicht genug davon kriegen kann. Sie sind
einfach lecka.

Und ganz unten bei Mackis, kurz vor dem
Auf Wiedersehen, gibt es einen Stand mit
Ansichtskarten.

»Sind die teuer?«

»Es geht so«, sagt Mama. »Keine Ahnung.«

»Haben die hier auch Briefmarken?«

Mama geht fragen. Ja, es gibt Briefmarken.
Das ist gut, da können sie sich den Weg zur
Post sparen.

Millie braucht fünf Ansichtskarten. Mit New York drauf, von oben, von unten, von rechts und von links, bei Tag und bei Nacht. Das sind aber sechs Karten.

Für wen?

Eine für Gus, eine für Wulle, eine für Kucki und eine für Wölfchen. Dann noch eine für Frau Morgenroth.

Was ist mit dem Uhu?

Na gut, die sechste Karte ist für den Uhu. Nee, Millie wählt gar nicht die Karten mit New York aus, das heißt, ein bisschen New York ist schon drauf, im Hintergrund. Aber im Vordergrund ist was ganz anderes zu sehen, nämlich King Kong, wirklich und wahrhaftig.

Ganz nah bei Mackis, mitten zwischen dem *Hujhujhujhujhuj* der Polizeiautos und dem Gehupe der Taxifahrer und dem Geschrei der Leute liegt ein kleiner Park. Es gibt Bänke dort. Alle sind besetzt. Rund um die Bänke stehen hübsche Blumenkübel. Die Tauben nicken Millie freundlich zu und legen ihre Köpfe schief. Und mit einem Mal werden auch vier Klappstühle frei.

Der Park hat einen Jungsnamen, Harald
oder so, und das Sitzen dort ist umsonst,
man braucht nicht mal was zum Trinken
zu bestellen. Man kann die Beine
hochlegen.
Hier schreibt Millie ihre Ansichtskarten.

Hallo, Gus,
hier ist King Kong, ich hab ihn angefasst,
ganz wirklich. Aber er ist im Oma-Museum
eingesperrt.
Viele Grüße von Millie

Lieber Wulle,
dreh mal die Karte um, da kannst du King
Kong sehen, in New York. Das glaubst du mir
doch wohl.
Deine Millie
und Trudel

Liebe Kucki,
New York ist ganz toll und teuer, aber die Füße
tun immer weh.
Bis bald, deine Freundin Millie

Liebes Wölfchen,
rat mal, wo ich bin. In New York! Vorne
drauf, der Affe, der ist echt, das ist King Kong.
Kennst du den?
Viele Grüße,
deine Millie

Hallo, Uhu,
ich schreib dir mal aus New York, aber nur so,
und bis bald,
Millie

So, das war Schwerstarbeit. Die Karte für
Frau Morgenroth erspart Millie sich heute.
Die könnte sie ihr auch persönlich geben,
wenn sie wieder zu Hause sind. Das wäre am
einfachsten.
Nun noch die Briefmarken auf die Karten
kleben. Ach, das ist aber praktisch. Man
braucht die Marken nicht zu lecken. Sie
kleben von ganz allein, man muss sie nur von
einer Folie abziehen. Aber nun weiß Millie
nicht, wie sie schmecken, ob nach Erdbeer-
sirup oder nach Sauerkraut.
Weiter geht's.

Gleich um die Ecke steht der berühmteste Wolkenkratzer New Yorks, das Eia Popeia. Jedenfalls ist es auf Mamas Stadtplan eingezeichnet, aber in Wirklichkeit ist es überhaupt nicht zu sehen. Man muss fragen.

»Entschuldigung, wo befindet sich das Empire State Building?«

Blöde Frage. Alle Leute zeigen mit dem Finger hoch: Da, gleich um die Ecke, da vorne, dahinten, gar nicht weit weg, hier, die nächste Tür rein.

Wollen die New Yorker sie veräppeln?

Aber mit einem Mal weiß Millie, dass sie die Wahrheit gesagt haben. Die Häuser rund um das Eia Popeia ragen ebenfalls gewaltig in den Himmel und stehen so dicht gedrängt, dass man den Wolkenkratzer vom Bürgersteig aus gar nicht wahrnehmen kann.

Es wird schon ein wenig dämmerig. Und Millie wäre doch so gerne noch bei Tageslicht auf den Wolkenkratzer gestiegen, um New York endlich einmal von oben zu sehen.

Da! Zwischen zwei Häusern, da ist was zu

sehen, Mama, Papa, guckt doch mal, was ist
das? Kopf in den Nacken legen! Räuber Nick!
Was kann man da sehen?
Die Spitze vom Eia Popeia! Ganz weit
oben und wunderbar schön. Sie sieht aus
wie eine Bleistiftspitze, die ist weiß und rot
und blau und leuchtet durch die restlichen
Wolkenfetzen im Dämmerlicht wie ein
Weihnachtsstern.
»Oh«, sagt Millie.
»Oh«, sagt Trudel.
Mehr kann man dazu nicht sagen.
Die Wolkendecke ist nun endgültig aufgerissen. Das letzte Sonnenlicht, gelb und
gold, dringt mitten ins Herz. Alles ist
möglich, auch dass Papa und Mama *ja* sagen,
als es darum geht, ob sie auf den Wolkenkratzer gehen.
Ja! Ja! Ja!
Es geht mit dem Fahrstuhl hinauf. Sssss.
Wie viel Zeit würden sie brauchen, um
zu Fuß sechsundachtzig Stockwerke hoch-
zuklettern? Das kann Millie nicht ausrechnen.
Es würde jedenfalls lange, lange dauern
und dazwischen müsste man Mittagspause

machen. Oder Ostern feiern. Und ganz
bestimmt mal aufs Klo gehen.

Hups, schon sind sie oben. Zum ersten Mal
können sie oben aus einem Wolkenkratzer
rausgehen, auf eine Plattform an die frische
Luft.

Oh, wie der Wind weht! Wie groß die Welt
ist! Wie klein die anderen Häuser. Auch die
Hochhäuser ums Eia Popeia sind winzig.

Wie fipsig die Autos aussehen. Die schwarzen
und weißen Raupen auf den Straßen sind
lächerliche Krümelchen!

Millie läuft elf Runden auf der Plattform.
Dann kennt sie New York auswendig.

Dahinten, das ist Norden, dort ist das Kreisel-
Hochhaus mit der Schrottmütze zu sehen.
Und daneben, nur ein kleines Stückchen
drüber, liegt wie ein grünes Handtuch der
Stadtpark von Mänhättän.

Der goldene Trampelturm!

Das Rockyfell!

»Mama, siehst du das?«

»Ja, mein Schätzchen.«

»Auch den Hatschi-Fluss?«

»Ja, Kind, ja.«

Trudel sieht nichts. Man muss sie auf den Arm nehmen, aber sie interessiert sich trotzdem nicht für die Aussicht. Der Wind pustet ihr ins Gesicht. Trudel schnauft und schließt die Augen. Kleines, dummes Kälbchen.

Aber Millie findet es hier oben toll.

Sie hat schon mal vom sechsten Stock eine Plastiktüte mit Wasser fallen gelassen. Das war auf Mallorca. Was wäre denn, wenn sie eine Wasserbombe von hier oben runterplumpsen lassen würde? Vom Wolkenkratzer in New York?

Wumm.

Eine große Pfütze würde das geben, eine richtig schöne, große Pfütze, Mannomann.

Und wie sieht es im Süden aus?

Wie im Norden. Wo man auch hinsieht: Wolkenkratzer, Wolkenkratzer, Wolkenkratzer.

»Und dahinten, mitten im Wasser, müsste auch die Miss …«, sagt Mama, »müsste auch die Miss … oder heißt sie Lady? … stehen.«

»Miss?«, fragt Millie aufgeregt nach. »Miss Libby?«

Aber ausgerechnet jetzt kommt Papa ihr dazwischen.

»Schaut, dort zwischen all den Hochhäusern liegt die Börse«, sagt er. »Da will ich unbedingt rein.«

»Ich auch«, sagt Millie, obwohl sie sich nicht vorstellen kann, was die Börse ist. Eine Geldbörse?

»Ja«, lacht Mama. »Aber eine ganz große. Die New Yorker Börse ist ein Haus, in dem Papiere, die viel Geld wert sind, gekauft und verkauft werden.«

»Für wie viel?«

»Na, jeder, wie er eben kann«, sagt Papa.

»Auch für fünf Dollar?«

»Eigentlich schon«, sagt Mama, aber Papa widerspricht ihr. »Das wäre ein bisschen wenig.«

»Kaufst du?«, fragt Millie.

»Nein«, sagt Papa.

»Ich hätte schon Lust«, sagt Mama. »Wenn du Glück hast, kaufst du in der Börse Papiere für fünf Dollar und hast am nächsten Tag zehn.«

»Glück?«, fragt Millie. »Für fünf Dollar Glück?«

»Oder für fünf Dollar Pech«, sagt Papa.
Papa muss immer ein Miesepeter sein.
Letzte Runde auf dem Eia Popeia.
Huch. Das gibt's doch nicht! In einer Ecke,
kurz vor dem Ausgang, entdeckt Millie eine
King-Kong-Ecke. Mensch, genau, King Kong
ist auf diesem Wolkenkratzer rumgeturnt, na
klar, hat Millie doch im Film gesehen.
Es gibt Unmengen von King-Kong-Post-
karten zu kaufen. Aber noch viel besser als die
tausend Ansichtskarten ist, dass man sich mit
King Kong fotografieren lassen kann.
Trudel heult. Die hat vielleicht Schiss. Trudel
denkt wohl, der Riesenaffe ist echt. Dabei
ist er nur auf Pappe gemalt. Millie muss aber
zugeben, dass er fast echt aussieht, richtig
prima.
Ja, ja, Millie darf sich knipsen lassen. Sie
braucht nur hinter der Pappwand ein
Treppchen hochzulaufen und ihren Kopf
durch ein Guckloch neben King Kong zu
stecken.
Blitz!
Schon ist ein Foto im Kasten.
Und bitte noch eins.

Zunge raus.

Blitz!

Oh, wie sie Gus und Wulle damit ärgern wird.
Die können ihr dann nichts mehr tun. Sie
werden denken, dass Millie neben dem Uhu
noch einen starken Freund hat, und das ist
nämlich King Kong.

Gameboy

Heute ist Sonntag.

Sonntage sind eigentlich zum Ausruhen da.
Besonders nach so vielen langen Fußmärschen
möchte Millie endlich einmal ausschlafen.

Aber sonntags kann man auch in die Kirche
gehen. In den Gottesdienst. Dort wird
gesungen.

Millie singt gern. Sie kann eine Menge
Kirchenlieder:

Morgen kommt der Weihnachtsmann oder
Der Mai ist gekommen.

Millie weiß aber nicht genau, ob es richtige
Kirchenlieder sind, jedenfalls sind sie fröhlich.

Auch in New York geht man sonntags in die
Kirche, und am schönsten ist der Gottesdienst
in Harlem.

Harlem ist ein Stadtteil von New York und
man kommt dorthin, wenn man den Brotweg immer geradeaus marschiert, weit über

Mänhättan hinaus, weiter und weiter, bis zur hundertfünfundzwanzigsten Straße. New York ist da noch lange nicht zu Ende, der Stadtplan hört erst bei der zweihundertsechsunddreißigsten Straße auf, so weit kann Millie noch nicht mal zählen.

Ein Kirchenbesuch in Harlem soll was sehr Schönes sein, besonders die Frauen dort singen herrlich. Ihre Lieder nennt man Gospel, komisches Wort.

Mama, Papa, Millie und Trudel ziehen sich gut an, weil man in der Kirche Sonntagskleider tragen muss. Millie besitzt gar kein Sonntagskleid, ein sauberes T-Shirt tut's aber auch. Und Papa hängt sich eine Krawatte um den Hals.

Zum Glück kann man mit dem Bus nach Harlem fahren. Danke schön, Mama.

In Harlem sind die Geschäfte auch sonntags geöffnet. Die Rollläden vor den Schaufenstern werden gerade hochgezogen.

Auf die Rollos sind Bilder gemalt. Von ägyptischen Königinnen oder von Löwen und vom Dschungel. Alles soll ein bisschen wie in Afrika aussehen, erklärt Mama.

»Warum?«

»Weil die Vorfahren der Menschen, die in
Harlem wohnen, aus Afrika kamen.«

Was Mama alles weiß!

Wenn die Rollläden hochgezogen werden,
sehen die Bilder zuerst wie zerschnippelt
aus. Dann sind sie futsch. Das ist schade.
Sie werden erst abends oder nachts wieder
runtergelassen, aber dann schläft Millie schon.

Wo ist denn die Kirche?

Die kann Millie schon von weitem sehen.
Wegen der vielen schick angezogenen Leute
davor. Die Damen haben sich besonders
herausgeputzt. Sie heißen *Ladys*. Sie tragen
weiße Strümpfe und weiße Schuhe. Alle
Männer haben Anzüge an, sogar die kleinen
Männer, die noch Kinder sind. Sie sehen
darin aus wie Zwerge oder so, als dürften
sie nie richtig spielen, jedenfalls nicht am
Sonntag.

Alle Leute, die den Gottesdienst besuchen
wollen, sind schwarz.

Ob man Millie, Trudel und Mama und Papa
überhaupt in die Kirche reinlassen wird?

Doch, sie dürfen rein.

Im Flur der Kirche steht eine Lady. Es ist eine wichtige Lady, sie trägt nicht nur weiße Strümpfe und weiße Schuhe, sondern außerdem noch weiße Handschuhe und ein weißes Käppi.

Die Lady ist nett. Sie sagt *herzlich willkommen* und gibt jedem Besucher die Hand. Sie sieht aus, als freute sie sich riesig, dass sie gekommen sind, Mama und Papa, Millie und die Schwester. Mit der Hand weist sie nach oben. Eine Treppe führt hinauf, und schon flitzt Papa die Stufen rauf.

Trudel will nicht zur Treppe gehen. Sie zieht Mama an der Hand und sagt ganz laut: »Pipimachn.«

Oh, oh, gibt es jetzt ein Problem wegen Trudel?

Nein. Die Lady hat verstanden, was Trudel will, obwohl die Schwester gar nicht Amerikanisch gesprochen hat.

Die Lady zeigt Mama noch eine andere Treppe, die führt in den Keller. Unten gibt es nämlich eine Toilette.

Mama fragt: »Bleibst du hier stehen und wartest, Millie?«

Millie weiß nicht so recht, aber da ist Mama bereits mit der Schwester im Untergeschoss verschwunden.

Millie bleibt wie angewurzelt stehen. Keine Sorge, keine Sorge, sie ist nicht allein, aber sie kennt niemanden. Höchstens ein bisschen die Lady mit den weißen Handschuhen. Hoffentlich passt sie gut auf Millie auf.

Die Leute strömen herein und verschwinden gleich wieder, nach oben, nach unten oder in der richtigen Kirche. Das ist der Raum vor Millies Nase, in den sie aber nicht hineinschauen kann. Sie kann nur hinhören. Stimmengewirr. Leise und schließlich laute Orgelmusik.

Nun kommt jemand durch den Flur, der hier wohl das Sagen hat. Ein kleiner schwarzer Mann mit einem weißen Schal um den Hals. Er trägt auch weiße Handschuhe.

Der kleine Mann lächelt die Lady an. Dann kommt er direkt auf Millie zu. Was soll sie machen, wenn er was sagt, sie kann ihn doch gar nicht verstehen. Hilfe, Hilfe, Hilfe.

Der kleine Mann gibt Millie die Hand. Er hat auch eine ziemlich kleine Pfote.

Herzlich willkommen sagt der kleine Mann.
Wellenkamm. Dann lächelt er Millie an und
verschwindet, also war es halb so schlimm.
Jetzt tauchen Mama und Trudel wieder auf.
Gott sei Dank.
Rauf die Treppe.
Wo ist Papa?
Ach, da vorne, wo die Sitzplätze wie auf einer
Treppe hochführen. Papa hat die Bank neben
sich freigehalten, das ist gut.
Die Orgel hebt nun richtig an, *huuuaaahhh*
und *waaauuuhhh*. Vorne in der Kirche steht
der kleine Mann, er ist der Pastor. Und hinter
ihm, entlang der halbrunden Kirchenwand,
stehen die singenden Ladys aufgereiht. Sie
tragen weiße Umhänge über den Schultern.
Die Ladys singen.
Und wie sie singen!
Hallelujah, hallelujah.
Sie singen wie die Engel im Chor.
Der kleine Pfarrer singt die Gospellieder mit,
manchmal singt er sogar allein. Er hat eine
Stimme, die eigentlich gar nicht in ihn hineinpassen kann, so gewaltig, so herrlich und so
laut ist die.

Die allerallerbeste Gospelsängerin aber ist
eine Dampfmaschine, fünf kleine Pfarrer
würden in sie hineinpassen.
Die Orgel hier ist keine richtige Orgel,
nur ein Harmonium, das kennt Millie
vom Gemeindezentrum zu Hause. Das
Harmonium hat aber so viel Wumm, dass
die Bänke wackeln.
Ganz schön heiß hier.
Die Lady mit dem weißen Käppi teilt Papier-
fächer aus. Damit wedeln sich alle Leute Luft
zu, sonst wäre es nämlich nicht auszuhalten.
Und die Lady passt auf, dass keiner
Dummheiten macht und jeder die Klappe
hält, wenn der Chor singt. Sie achtet auch
drauf, dass die Leute aufstehen, wenn sie
aufstehen sollen, und sich wieder setzen,
wenn sie sich setzen sollen. Millie weiß nicht,
wann der Moment kommt, dass sie sich
erheben soll. Aber mit der Lady geht das,
man muss sie nur immer anschauen, dann
kann nichts schief gehen.
Jetzt hat die Lady jemanden auf dem Kieker.
Auf der Bank vor Millie ist nämlich was los.
Millie muss auch immer hingucken.

Erstens sitzt da eine Mami, die hat drei
Kinder mitgebracht. Ein bisschen Krach
machen ist in der Kirche erlaubt, aber
nicht zu viel. Deshalb bekommen die
Kinder Sachen, damit sie den Mund halten:
Schnuller, Nuckelflasche und Kaubonbons.
Trudel sieht dasselbe, was Millie sieht. Sie
bekommt ganz große Augen. Wegen des
Schnullers? Und Millie muss auch schon
schlucken. Wegen der Bonbons.
Die Mama mit den drei kleinen Kindern sitzt
links.
Zweitens sitzt in der Bank, rechts vor Millie,
ein Junge, der vielleicht so alt ist wie der
Uhu. Vierte Klasse? Ungefähr. Millie schätzt
das mal so.
Der Junge trägt den Anzug von seinem
Großvater. Aber ganz bestimmt. Es sieht
schrecklich aus und Millie fragt sich, warum
der Junge deswegen nicht die ganze Zeit
rumheult. Millie hätte schon längst Theater
gemacht. Und was für eins!
Neben dem Jungen im großen Anzug hockt
noch ein Junge. Sein Bruder wahrscheinlich.
Er wird so alt wie Millie sein, nein, ein wenig

jünger, vielleicht wie Wölf-
chen, also, ungefähr sechs
Jahre alt.
Der Junge hat einen Game-
boy dabei.
Einen Gameboy!
Er hält das Computerspiel
zwischen beiden Händen.
Plinkiplinkiplink.
Die Lady schaut den Jungen an, immer und
immer wieder. Millie hat das sofort kapiert:
Man darf in der Kirche nicht Gameboy
spielen.
Aber Pustekuchen.
Wenn die Lady hinsieht, hört der Junge auf
herumzuplinkern. Wenn die Lady wegguckt,
spielt er weiter.
Plinkiplinkiplink.
Millie kann nicht sehen, was für ein Spiel er
auf dem Computer hat. Sie kennt sich nicht
besonders gut aus mit Gameboys. Gus hat
einen mit sieben Spielen, *Batman* und *Frösche
hüpfen* und so was alles, *Labyrinth.* Die Spiele
machen alle *plinkiplinkiplink.*
Jetzt hat die Lady den Jungen beim Spielen

erwischt. Sie braucht nur zwei Schritte zu machen, dann ist sie bei ihm.

Die Lady will dem Jungen den Gameboy wegnehmen. Der will ihn aber nicht hergeben. Logisch.

Die Lady macht dem Jungen klar, dass er verschwinden soll. Oder er muss dem kleinen Pastor und der Dampfmaschine zuhören.

Der Junge ist beleidigt. Er hat Tränen in den Augen. Die Nase läuft. Er schnüffelt.

Aber die Lady lässt sich nicht beirren. Sie hat Augen wie Scheinwerfer, die immerzu auf den Jungen gerichtet sind. Schließlich springt er doch auf und läuft die Treppe nach unten.

Die Lady ist sehr erleichtert, das kann Millie erkennen. Aber Millie hätte den Jungen gern noch ein Weilchen vor sich sitzen gehabt. Das war doch spannend!

Die Chorladys haben nun wieder zu singen angefangen. Sie schmettern mit der Dampf-maschine um die Wette.

Und wer kommt da von der Seite wieder angeschlichen?

Der Junge mit dem Gameboy.

Die Tränen sind versiegt. Grinsend setzt er
sich wieder vor Millie auf die Bank.
Plinkiplinkiplink.
Und wo ist die Lady geblieben?
Da!
Jetzt aber ist der Gospelgesang der Chor-
ladys lauter geworden als das Plinkiplink aller
Gameboys der ganzen Welt.
Und wie der Chor loslegt! Und der kleine
Pastor! Und die Dampfmaschine!

Die Töne donnern durch die Kirche, dass
die Wände gleich wackeln müssten und
die Kirche platzt. Die Leute klatschen im
Rhythmus. Und singen mit.
Hallelujah, hallelujah.
Mama und Papa schaukeln hin und her und
Trudel guckt ganz verdattert.
Die Leute singen die Lieder natürlich auf
Amerikanisch, aber es ist wohl nicht so
wichtig, dass man alles versteht, *Gott* und
Jesus sind manchmal dabei, *Jesus, danke schön.*
Und da nun alle singen und jubeln und
schmettern, mit den Händen wackeln und
mit dem Kopf, ist doch alles erlaubt.
Und Millie singt aus vollstem Herzen mit:
»Gloria, Viktoria, widewidewittjuchheirassa,
Gloria, Viktoria, widewidewitt, bum bum.«
Das nennt man Gospelgesang, ja, hallelujah.
Millie ist ganz leicht ums Herz.

Kleine Mäuse

Am Sonntagnachmittag gibt's im Fernsehen
einen guten Film. Mama mault ein wenig,
weil sie deswegen im Hotel bleiben müssen,
aber Papa ist zum Glück auch geschafft. Ihm
fallen nach dem ganzen Jubel und Trubel in
der Kirche von Zeit zu Zeit die Augen zu.
Damit sie den Film nicht verpassen, wird
der Fernsehapparat eine Minute vorher
angemacht.
Reklame.
Millie findet Werbung gut. Weil die meistens
lustig ist.
Jetzt machen sie leider Werbung für dicke
Hamburger und poppiges Popcorn und
spritzige Limonade. Manno, da bekommt
man Appetit. Millie weiß aber, dass Appetit
nicht dasselbe ist wie Hunger. Appetit tut nur
so, als ob er Hunger wäre, aber das ist nicht
echt. Es ist gemogelt!

Millie und Trudel lümmeln sich auf dem
breiten Hotelbett von Mama und Papa.
Mama sitzt auf der Ausziehcouch und
studiert den Reiseführer. Bestimmt heckt sie
wieder was aus für morgen.
Papa hockt neben Mama auf dem Sofa, mal
ist er da und mal nicht. Das erkennt man an
seinen Augen.
Nun fängt der Film an. Oh, er ist so schön.
Obwohl sich Millie zu der Geschichte den
Text selber ausdenken muss.
Es geht um eine kleine Maus. Sie heißt
Stuart.
Stuart wird von einer Menschenfamilie
adoptiert. Er trägt richtige Klamotten, aber
in klein. Das heißt: Höschen! Hemdchen!
Schühchen!
Wie süß das aussieht!
Stuart ist so niedlich, dass Millie während
des Films immer wieder mit Trudel kuscheln
muss, das geht gar nicht anders.
In der Familie, die sich um Stuart kümmert,
gibt es noch einen Sohn und eine weiße
Katze. Der Sohn heißt Dschooordsch und die
Katze Snouuu-Bell.

»Wie heißt die, Mama?«, will Millie wissen.
Mama muss erst ein Weilchen den Film
angucken, um mitzukriegen, was und wen
Millie meint.

»Sie heißt Snowbell«, sagt Mama dann.
»Schneeglöckchen.«

Schneeglöckchen? Das ist aber ein komischer
Katzenname.

Dschooordsch und Schneeglöckchen wollen
keine Maus als neues Familienmitglied. Das
ist blöd. Millie würde gerne eine Maus als
Bruder haben. Weil richtige Brüder immer
Jungs sind. Und Jungs sind doof. Wenn sie
nicht doof sind, sind sie auf jeden Fall jünger
als Millie.

Ach, ist der Film aufregend. Weil Schneeglöckchen immer hinter Stuart her sein muss.
Das ist so zwischen Katzen und Mäusen. Und
dann läuft Stuart von zu Hause weg.

Wo läuft er denn hin?

»Mensch, guckt doch mal!« Millie hat sich
aufrecht hingesetzt. »Mama! Papa! Guckt
doch mal!«

Das kann doch nicht wahr sein! Der Film
spielt in New York und Stuart ist in den

Stadtpark gelaufen, der ist doch gleich hier
um die Ecke, zwei, drei Straßen weiter.

»Im Central Park?« Mama findet das auch
interessant.

Papa hebt nur ein Augenlid und grummelt
vor sich hin.

Im Stadtpark geht's Stuart aber schlecht,
denn alle Katzen der Umgebung sind hinter
ihm her. Es sind sicherlich Maffi-Katzen.

Lauf, Stuart, lauf!

Dann taucht Stuarts
Mäusefamilie auf.

Die ist auch nicht
nett, klar, denn sonst
hätten sie Stuart ja
nicht so einfach weg-
gegeben. In der Familie
gibt's bestimmt auch nur Maffi-Mäuse.

Aber die Geschichte geht gut aus. Was für
ein Glück! Millies Herz hat schon Galopp
geschlagen.

Mama hat nur darauf gewartet, dass der Film
endlich zu Ende ist, denn sofort legt sie los.

»Central Park«, sagt sie. »Das ist eine gute
Idee. Jetzt gehen wir noch in den Park.

Schluss mit der Faulenzerei. Ihr habt euch genug ausgeruht.«

Mamas Idee wäre wirklich eine gute Idee, wenn sie mit der Kutsche durch den Park fahren würden. Eine gute Idee wäre auch, wenn einer der vielen Radfahrer Millie auf dem Gepäckträger mitnehmen würde.

Aber Mama hat eine schlechte Idee: zu Fuß laufen!

»Wir gehen an der Columbus-Statue vorbei, vielleicht noch bis zum Lincoln-Center, da steht das berühmteste Opernhaus der Welt, die Met. Und dann laufen wir auf die andere Seite, hin zum Trump-Tower. Wisst ihr noch? Der gehört dem reichsten Mann der Welt. Und dann …«

Ja, ja, ja, Mama kann die Nase nie voll kriegen. Außerdem haben sie den Trampel-turm doch schon gesehen. Und warum sollte Millie sich auch noch die fette Mett anschauen. Ein Opernhaus? Wo sie immer *Öhöhöhöhöhöhö* machen? Quietschen und jaulen?

Ach, Mamilein, immer laufen, laufen, laufen. Oh, wie die lieben Pferdchen dort am Rand des Parks darauf warten, dass Millie in eine der Kutschen einsteigt und eine Runde mit ihnen dreht!

»Wir gehen ganz langsam«, sagt Papa, nimmt Mamas Hand und tut so, als wäre das nun ein richtig gemütlicher Spaziergang.

Es gibt aber im Stadtpark Leute, die noch verrückter sind als Mama und Papa. Sie gehen nicht, sie rennen! Es sind Jogger, die auf den vielen Wegen im Dauerlauf traben. So blöd müsste Millie mal sein! Nee!

»Müssen die das machen?«, fragt sie.

Vielleicht kriegen die ja Geld dafür.

Papa zuckt nur mit den Achseln. Er geht auch lieber spazieren, wenn's denn schon sein muss.

»Jetzt sind wir aber genug gelaufen«, sagt Millie nach einer Weile. Und später: »Sind wir jetzt endlich genug gelaufen?«

Aber Mama ist ein Roboter. Eins, zwei, drei, vier … eins, zwei, drei, vier …

Plötzlich merkt Millie, dass der Park tatsächlich der von Stuart Maus ist, an jeder Ecke erkennt man das. Hier das Felsengebirge und dort die steinerne Brücke über dem Weg,

der See in der Mitte und die verschlungenen
Pfade.

»Pitzpatz«, ruft Trudel.

Sie hat einen Spielplatz entdeckt. Na gut,
jetzt wird erst einmal geschaukelt, Millie und
Trudel fliegen hoch und hoch und höher,
und Mama und Papa dürfen sich die Beine
in den Bauch stehen.

Es ist schon gegen Abend, als sie weiter-
laufen. Der Park hat eine dicke Farbe
bekommen, dunkelgrün, dunkelgrau. Alle

Häuser sind verschwunden, die auf der linken Seite und die auf der rechten Seite. Sie sind schlafen gegangen.

»Das gibt's doch nicht«, sagt Mama. »Die Häuser können doch nicht einfach weg sein. Es sind Wolkenkratzer. Die sind hundert Meter hoch oder höher. Die können doch nicht einfach verschwinden.«

»Oder wir haben uns verlaufen«, sagt Millie.

»Mach mich nicht verrückt«, sagt Mama. »Man kann sich in New York nicht verlaufen. Das weiß doch jedes Kind.«

Und was war mit dem Oma-Museum? Hat Mama das schon vergessen?

Papa meint: »Hol mal bitte deinen Reiseführer raus. Wir schauen im Stadtplan nach, wo wir sind.«

»Ich hab das blöde Buch doch im Hotel gelassen«, sagt Mama. »Ich wollte doch nur ein bisschen spazieren gehen. Außerdem sind im Stadtplan sowieso keine Bäume eingezeichnet.«

»Nun reg dich nicht auf«, sagt Papa. »Das schaffen wir schon. Man kann sich in New York nicht verlaufen.«

Na, na, na.

»Doch«, heult Mama jetzt. »Hast du denn schon die Sucherei nach dem Museum vergessen?«

Nun sagt keiner mehr etwas. Sie stehen dumm rum. Aber sosehr sie auch gucken, nach links und nach rechts, die Wolkenkratzer bleiben verschwunden und die Bäume sind noch dunkler geworden, tiefdunkelgrün, fast schwarz.

»Wir laufen jetzt nur noch in eine Richtung«, schlägt Papa vor. »Dann werden wir irgendwann auf Häuser stoßen. Keine Bange. Wir sind doch mitten in einer Weltstadt. Hier geht niemand verloren.«

»Und wenn wir in die falsche Richtung gehen?«, jammert Mama. »Wenn wir den langen Weg einschlagen und nicht den kurzen? Weißt du, wo Norden ist oder Osten?«

Papa sieht sich um. Alles ist nachtschwarz. Papa kratzt sich am Kopf. »Nö«, sagt er, einfach nur: »Nö.«

»Der Park ist über elf Kilometer lang«, sagt Mama mit Verzweiflung in der Stimme. »Das

schaffen wir nie. Das dauert Tage! Und alle
Wege zusammen sind über fünfzig Kilometer
lang!«

»Mach mich nicht verrückt«, sagt Papa.
Millie hat kein bisschen Angst. Sie schaut von
einem zum anderen. Trudel auch. Mama und
Papa werden sie schon retten. Das müssen
Eltern tun! Dafür sind sie da. Die Kinder
heißen doch Millie und Trudel und nicht
Hänsel und Gretel.

Aber wenn es noch dunkler wird? Wenn man
nicht mal mehr die Hand vor Augen sieht?
Wenn der Mond nicht scheint? Wenn Trudel
Pipi machen muss? Wenn Mama noch richtig
zu heulen anfängt? Was dann?

Und wenn die Füße wirklich schlappmachen?
Jetzt ist nicht einmal mehr eine Pferdekutsche
in der Nähe. Die Pferdchen schlafen schon.
Und alle Menschen auch.

Millie kann einfach nicht mehr laufen. Sie
ist auch eine kleine Maus. Wie Stuart. Und
gleich können auch noch die Maffi-Katzen
kommen. Und die Maffi-Mäuse.

Und wenn sogar die Maffi-Männer kommen?
Ja, was dann?

Trudel hat ihr Problem mit den müden
Füßen schnell gelöst. Sie streckt einfach die
Arme hoch. Wie immer, wenn sie nicht mehr
kann. Und sie findet auch stets jemanden, der
sie hochnimmt. Jetzt ist es Mama, die Trudel
auf ihre Hüfte setzt und den Arm um Trudels
Popo schlingt, damit sie nicht runterfallen
kann.

Millie sieht Papa an. Sie macht sich krumm,
ihre Beine sind schon ganz schlabberig, das
muss Papa doch merken, Millie kann gar
nicht mehr stehen.

Papa hat das zum Glück erkannt. Er nimmt
Millie huckepack. Ist doch klar, er hat
größere Latschen, damit kann er einfach
besser laufen.

Papa hat seine Arme hinter dem Rücken
gefaltet. Millie sitzt ganz bequem und
schlingt ihre Arme um seinen Hals.

»Aber nicht erwürgen«, sagt Papa.

Wo denkt er hin? Millie wird doch nicht ihr
Pferdchen erledigen.

»Nach Osten!«, befiehlt Papa und weist mit
dem Kopf nach rechts.

Millie weiß noch nicht, wie man erkennen

kann, wo Westen und wo Osten ist. Auf dem Globus, von oben gesehen, ist es ganz einfach. Aber jetzt sind sie doch nur kleine Mäuse im Park und die Welt ist riesig.

»Bist du sicher?«, fragt Mama.

»Ja«, sagt Papa. »Im Westen geht die Sonne unter. Wenn ich mich recht erinnere, war es zuletzt noch dort drüben, auf der linken Seite, hell.«

Trab, Pferdchen, trab.

Oh, wie schön das ist. Große, große Klasse. Hier oben können keine Maffi-Mäuse und keine Maffi-Katzen etwas ausrichten. Hier oben sind Millie und Trudel ganz sicher. Man hat eine prima Aussicht.

»Da, Papi, da vorne! Ich sehe schon den ersten Wolkenkratzer«, sagt Millie.

»Dann sind wir gerettet«, schnauft Mama und wechselt Trudel von einer Seite ihrer Hüfte auf die andere.

Vor ihnen glühen die Straßenlampen, da tanzt der Lichterschein der Autos über die glänzende Straße, da strahlen die goldenen Säulen der Wolkenkratzer bis in den Himmel hinein.

Keine Angst, keine Angst.

Und da ist auch eine Bushaltestelle. Die gibt es doch überall in New York, Mama, das muss man dir mal sagen. Man kann doch nicht immer nur laufen, laufen, laufen, da brechen einem doch die Beine ab!

Die besoffene Kuh

Komisch, dass morgens die Füße nicht mehr aua schreien. Sie haben sich an die langen Märsche gewöhnt und wollen nun die Welt kennen lernen.

Millie stopft ihre King-Kong-Karten in den Rucksack. Bis jetzt haben sie noch keinen Briefkasten entdeckt. Wie sieht der überhaupt aus? Gelb? Rot? Oder lila? Wie die Müllbeutel von New York?

Und Mama hat endlich kapiert, wie bequem eine Busfahrt ist. Sie hat eingesehen, dass kein Mensch die ganze Stadt zu Fuß erforschen kann. Also kommt der Bus oder die U-Bahn in Frage. Leider keine Raupenlimousine. Das kostet viel zu viel. Mehr als fünf Dollar.

»Die Wall Street«, liest Mama aus ihrem Reiseführer vor, »heißt so, weil sie früher durch eine Mauer die Bewohner der Stadt vor den angreifenden Indianern schützen sollte.«

Millie weiß, dass ganz, ganz früher, bevor Columbus nach Amerika kam, Indianer hier gewohnt haben. Sie hätte so gerne auch noch welche gesehen, wenigstens einen, aber heutzutage kommen Amerikaner aus allen Ländern der Erde. Deshalb sehen die Leute in New York so verschieden aus, nur leider nicht wie Indianer.

An der Wall-Straße befindet sich die Börse. Das ist das Gebäude, in dem Geld umgetauscht wird, das heißt, Papiere, von denen man glauben soll, dass es Geld ist.

»Für die Kinder wäre es doch schön, wenn sie den Bullen vor der Börse sehen könnten«, schlägt Papa vor.

»Ja, zeig mal«, sagt Millie und steckt ihre Nase in das schlaue Reisebuch.

Auch Trudel will gucken, aber sie hat keine Ahnung, wonach sie eigentlich sucht, die abgebildete Kuh interessiert sie überhaupt nicht.

Der Bulle sieht aus wie eine besoffene Kuh, die gerade um die Ecke flitzt und ganz schief auf ihren Beinen steht, weil sie die Kurve doch nicht richtig gekriegt hat. Vielleicht

kann man auf ihr reiten, wenn man einen
Dollar in sie reinsteckt.

»Es ist doch nur ein Denkmal«, erklärt Papa.

»Ein Bulle ist ein starkes Tier. Er soll die
Macht des Geldes darstellen.«

»Warum haben sie nicht gleich einen großen
Dollar genommen?«

»Weil Menschen die Dinge gerne anders darstellen, damit alle es verstehen können. Das
nennt man Symbol. Also zum Beispiel kann
man ein Herz für Liebe malen«, sagt Mama.

»Und eine Taube steht für Frieden«, sagt
Papa.

»Und ein Stern für Weihnachten und Messer und Gabel für Essen und Trinken«, zählt Millie auf. Ja, sie hat es verstanden.
Die Wall-Straße mit der Geldbörse liegt ganz unten im Zipfelchen von Mänhättän. Der Bus fährt auch durch Gegenden, in denen keine Wolkenkratzer stehen, sondern eng aneinander lehnende Häuser mit Eisentreppen an der Außenwand. Wozu das? Damit man schneller abhauen kann, wenn die Maffi-Männer kommen.
Nach dem Viertel mit den Treppenhäusern schießen wieder die Hochhäuser aus dem Boden. Millie findet das schon ganz normal. Sie kann sich eine Stadt ohne Wolkenkratzer gar nicht mehr vorstellen.
Die Börse sieht gar nicht aus wie eine Geldbörse, sondern wie ein griechischer Tempel. Darf man denn hinein? Aber ja. Dort bekommt man die Eintrittskarten.
Vorher jedoch müssen sie noch die besoffene Kuh suchen. Vor der Börse steht sie jedenfalls nicht.
»Wir könnten auch noch dahin gehen, wo das World Trade Center gestanden hat«, sagt

Papa. »Der Platz müsste irgendwo hier in der Nähe sein.«

Millie hat mit einem Mal Schmetterlinge im Bauch. Sie kraust die Nase und zieht die Luft scharf ein, denn sofort kommen ihr die schrecklichen Bilder der einkrachenden Zwillingstürme in den Kopf.

Mama hat das verstanden. »Wir lassen das mal lieber«, sagt sie. »Man kann wahrscheinlich sowieso nicht mehr erkennen, wie es dort einmal ausgesehen hat. Nicht umsonst heißt der Ort jetzt Ground Zero.«

»Dem Erdboden gleichgemacht«, erklärt Papa, der Millies ratloses Gesicht bemerkt hat.

Ja, lieber machen sie sich weiter auf die Suche nach der besoffenen Kuh.

»Muhkuh«, ruft Trudel. »Muhkuh!«

Sie hat die Kuh als Erste entdeckt.

»Muhkuh!«

Ganz schön Schlagseite hat die Kuh. Die kippt ja wirklich gleich um.

Aber bevor sie umkippt, will Millie auf ihr sitzen und Papa muss sie fotografieren.

Es ist nicht einfach, zur besoffenen Kuh

zu gelangen. Eine gefährliche Straße muss
überquert werden. Millie schiebt freiwillig
ihre Pfote in Papas große Hand. Papa muss
auch helfen, Millie auf die Kuh zu hieven.
Die ist riesig groß und das Kuhfell ist glatt
wie eine Rutschbahn, es leuchtet dunkel,
überm Schädel jedoch wie aus purem
Gold.

»Bleib bloß stehen, blöde Kuh«, sagt Millie
und hält sich krampfhaft an den Hörnern fest,
damit sie nicht runterknallt. Vom Rücken
der besoffenen Kuh bis auf den Boden ist es
genauso weit wie von hier bis zum Mond.
Millie muss lange sitzen bleiben und Geduld
haben, bis Papa das Foto schießen kann,
denn immer wieder laufen alle möglichen
Leute durchs Bild. Und viele wollen die
Kuh streicheln. Davon ist das Fell so blank
geworden.

Geschafft! Mit dem Bild wird Millie zu Hause
vor Gus und Wulle angeben können. Auf
einer wild gewordenen Kuh durch New York
zu reiten, das würden die sich bestimmt nicht
trauen!

Trudel hat Schiss vor der besoffenen Kuh. Sie

will nicht drauf reiten. Also können sie jetzt
zurückgehen zur Börse.

Lange, lange Reihe …

Der Gang in die Börse ist wie der Weg zu
einer Mondfähre. Und innendrin, wo um
Geld geschachert wird, sieht es auch aus wie
in einer Raumstation. Leider darf man nur
von oben hineinschauen.

Millie presst ihre Nase an der Scheibe der
Raumfähre platt. So kann sie das Gewühl
und Gewimmel gut betrachten. Und das
Geschrei hören. Ach du meine Güte, als ob
all die großen Leute sich streiten. Das soll ein
Mensch verstehen!

Wie kleine Kinder im Kindergarten!

Millie kann ja leider immer noch kein
Amerikanisch, aber sie kann sich denken, was
die Geldhändler schreien.

Gib mir gefälligst meine fünf Dollar zurück!
Schieb mir mal schnell ein paar Millionen
rüber!
Hast du mir auch kein Falschgeld gegeben?
Freundchen, du hast mich eben beschissen!
Millie sieht genau, wie die Leute, die in der
Raumfähre hin und her laufen, das Geld, das

sie bekommen haben, einfach auf den Boden
fallen lassen. Geld liegt hier auf der Erde!
Man muss es nur aufheben. Ist das so, Papa?
»Nein, Millie, das sind nur Papierfetzen,
auf denen sich die Geldhändler was
aufgeschrieben haben. Etwas, das sie nicht
vergessen dürfen.«
Spickzettel?
Spickzettel sind doch verboten. Wenn das
Frau Heimchen wüsste! Die würde hier lauter
Sechsen verteilen.
Aber eigentlich findet Millie, dass Geld-
händler ein toller Beruf ist. Sie könnte sich
vorstellen, dass sie später auch mal an der
Börse arbeitet.
Warum?
Man kann sich prima zanken und darf laut
schreien.
Man schmeißt den Müll einfach auf die Erde.
Und man hat den Rucksack immer voller
Geld!

Miss Nebel

Weil es so viele Sehenswürdigkeiten in New York anzuschauen gibt, ist Millie noch gar nicht dazu gekommen, ihr Versprechen einzulösen und den Salzstreuer an Meckimeck zurückzugeben. Seit ein paar Tagen lassen Mama und Papa Millie damit in Ruhe. Sie machen keinen Druck. Jeden Morgen wird Millies Furcht, dass sie das Fässchen zurückstellen muss, ein bisschen kleiner. Was einmal gut ging, kann beim zweiten Mal auch schief gehen. Dann wäre Millie als Diebin entlarvt. Das wollen Mama und Papa garantiert nicht. So wird es sein.

Heute Morgen kommt Millie ebenfalls nicht dazu. Es gibt nicht mal ein richtiges Frühstück, weil es noch viel zu früh ist.

»Jeder nur einen Bagel in die Hand«, sagt Mama.

Millie hasst die Dinger. Sie sehen aus wie

Donuts. Aber Donatts sind lecker, und
Bägels sind wie alte, harte Beißringe, die man
erst einmal richtig einnuscheln muss, bevor
man abbeißen kann.
Aber wenigstens wird Millie ihre Ansichts-
karten los. Man kann sie nämlich am
Empfang des Hotels abgeben.
»Danke schön.«
Herzlich willkommen. Wellenkamm.
Heute machen sie einen richtigen Ausflug,
nicht bloß zu Fuß um die Ecke herum.
Siebenhundert Kilometer von New York
aus! Nur ein Klacks. So ist das in Amerika.
Amerika ist riesig.
Und wo geht es hin?
Zu den Niagarafällen.
Niagara ist ein wunderbares Wort. Indianer-
sprache. Dass Millie mal indianisch sprechen
könnte, hätte sie nie gedacht. Mänhättän ist
ja auch indianisch.
Und Tohuwabohu? Bestimmt auch. Tohu-
wabohu ist das, was gestern in der Börse los
war. Die Börse ist auch Indianerland.
Auf der Fahrt schaut Millie so lange aus dem
Fenster des Busses, bis es nichts mehr zu

sehen gibt. Die kleinen Städte und die großen
Wälder, durch die sie kommen, sind nur
noch wie gemalte Bilder. Weiße Häuser mit
verbretterten Außenwänden. Die sehen aus
wie Linienblätter aus dem Schreibheft.
Und der Wald!
Mama erzählt, dass der Wald im Herbst rot
glüht und die Jahreszeit dann indianischer
Sommer heißt.
»Brennt der Wald dann?«
»Nein, mein Schätzchen, aber die Blätter
leuchten so rot, dass der Wald wie ein großes
Feuer aussieht.«
Der Bus zuckelt durch die indianischen
Wälder. Das dauert und dauert. Man darf
auf der Straße nicht rasen. Sonst kommt der
Sheriff und schreibt einen auf. Der Sheriff hat
sich mit seinem Auto zwischen den Büschen
versteckt. Aber Millie sieht ihn ganz genau.
Am Ende der Straße, am Ende von Amerika,
liegt Niagara.
Als Millie aus dem Bus steigt, hört sie ein
Graulen und Donnern. Das müssen die
Niagarafälle sein. Am liebsten würde Millie
gleich hinstürzen. Aber immer langsam.

Zuerst die Taschen aus dem Bus holen. Rucksack nicht vergessen.

Und dann an Papas Hand den tobenden Geräuschen nachgehen. Dort hängt schon weiße Gischt wie Nebel in der Luft. Und da der gewaltige Fluss! Was für ein Tempo der hat!

Man kann ganz nah ans Wasser gehen. Millie lehnt sich an das Geländer. Keine Angst, sie klettert nicht hindurch. Nur mal den Kopf durchstecken. Wenn sie nicht aufpassen würde, dann: Plops.

Aber sie passt doch auf!

Ein paar Schritte weiter bricht der Fluss über die Felsen. Das macht den Krach, das macht das Graulen und Donnern. Der Wasserfall sieht aus wie eine große Rutschbahn im Schwimmbad. Eine sehr große Rutschbahn. Welche Geschwindigkeit das Wasser wohl draufhat? Achtzig Sachen? Hundertachtzig Sachen? Millies Augen verlieren sich im Strom, ihr wird ganz schwindelig.

»Ist denn schon mal jemand den Wasserfall runtergerutscht?«, fragt sie, als sie ihre Augen wieder vom Fluss lösen kann.

»Ja«, sagt Papa. »Aber das ist lebensgefährlich.«

»Ich mein ja auch nicht so ohne alles«,
sagt Millie. »Ich meine, in einem Bierfass
vielleicht.«

»Das hat tatsächlich schon mal jemand
ausprobiert«, sagt Papa.

»Ja? Und dann?«

»Man hat ihn nicht wiedergefunden.«

»Ist er jetzt da unten?«

»Keiner weiß was«, sagt Papa. »Er wird ums
Leben gekommen sein. Das Fass ist sicherlich
zerbrochen.«

»Oder er ist in dem Fass bis nach Australien
geschwommen«, meint Millie.

»Eher nicht«, sagt Papa.

»Nicht?« Millie schaut noch einmal in die
Tiefe. Dann sagt sie versonnen: »Wenn ich
das gewesen wäre, würdet ihr dann um mich
weinen?«

»Sag mal, was soll das denn, Schätzchen?«
Jetzt mischt Mama sich ein.

»Ich mein ja nur«, sagt Millie. »Ich tu's
ja nicht in echt. Aber würdet ihr um mich
weinen, wenn ich nicht mehr da wäre?
Trudel, würdest du weinen?«

Trudel guckt ganz komisch.

»Ja«, sagt sie dann und fängt gleich an zu heulen. Hat sie denn überhaupt verstanden, was Millie meint?

Mama nimmt Trudel auf den Arm und streichelt sie. »Schau nur, was du angestellt hast«, sagt sie zu Millie.

»Würdest du auch weinen, Miss Mami?« Sie muss das wissen.

»Nun hör schon auf mit dem Quatsch«, sagt Mama.

»Oder … würdet ihr?« Millie kann keine Ruhe geben.

»Wir würden alle weinen, wie verrückt«, sagt Papa. »Und dann wären wir furchtbar wütend auf Millie, weil sie uns so zum Heulen gebracht hat.«

Soso.

Millie muss nachdenken, aber nur so in die Luft hinein.

Dann sagt sie langsam: »Ich würde auch kein Bierfass nehmen. Ich würde eine Raumkapsel nehmen. So eine, die zum Mond fliegen kann. Die geht ja nicht kaputt, die kommt immer wieder auf die Erde zurück.«

»Schluss jetzt damit«, sagt Papa.

Gucken allein geht nicht am Niagarafall. Man kriegt automatisch seltsame Gedanken.

Aber man kann in Niagara noch viel mehr machen als nur gucken und nachdenken. Man kann Bötchen fahren, und zwar gefährlich nahe ran an den Wasserfall.

Ganz unten, wo der Fluss wieder ruhig fließt, ist eine Anlegestelle. Es gibt viele kleine Schiffe, an diesem Ufer und gegenüber. Aber alle tragen denselben Namen.

»Maid of the Mist«, sagt Mama.

Es hört sich wie ein Schimpfwort an, aber es hat nichts mit Mist zu tun. *Mist* heißt *Nebel* und deshalb heißen alle Boote *Nebelfräulein* oder *Miss Nebel*, man kann das nennen, wie man will.

Der Nebel über dem Niagarafall ist feinste Wassergischt. Damit man während der Fahrt auf dem Fluss nicht zu nass wird, müssen alle Leute, die an Bord gehen, blaue Plastik-capes anziehen. Die Leute sehen in ihren Umhängen aus wie blaue Mäuse. Nur Trudel nicht. Sie hockt bei Papa unterm Umhang und sieht aus wie ein Känguru-Baby.

Das Schiff mit den blauen Mäusen schaukelt im stürmenden Wasser rauf und runter und hin bis zum Wasserfall. Da kann Millie erkennen, dass es nicht nur einen, sondern zwei Niagara-Fälle gibt. Einer davon ist in Amerika und der andere gehört zu Kanada.

»Gehen wir nachher noch nach Kanada?«, fragt Millie. Sie ist trotz des blauen Umhangs schon quatschnass.

»Mal sehen«, sagt Mama, die sich am Geländer von Miss Nebel krampfhaft festhält. Millie ist nicht so ein Schisshase. Sie lässt manchmal sogar das Gitter los, allerdings ist sie zwischen Mama und Papa eingequetscht, da kann ihr nichts passieren.

Der kanadische Wasserfall ist schöner als der amerikanische, das muss Millie zugeben. Er hat die Form eines Hufeisens.

Das Boot wagt sich bis fast in die Mitte des Hufeisens hinein. Die Gischt dort ist so dicht, dass man nichts mehr sehen kann. Weiße Gardine. Nur ganz oben, wenn man den Kopf weit in den Nacken legt und sogar der ausgestreckte Hals so pitschepatschenass wird, dass ein Bächlein über die Brust bis zum Bauchnabel rinnt, sieht man einen wunderschönen Regenbogen. Der verbindet hier Erde und Himmel.

Dann ist aber genug.

Das kleine Känguru, das sich die ganze Zeit versteckt hat, streckt jetzt vorsichtig wieder seine Nase aus dem blauen Umhang.

An der Anlegestelle warten schon die nächsten Leute auf Miss Nebel.

Endstation!

Alles aussteigen!

Alle Leute, die mit Millie im Boot waren, schaffen es, das Schiff zügig zu verlassen.

Nur Millie nicht.

Hilfe! Sie ist festgeklebt.

Das ist kein Witz. Ihr Schuh klebt wie Pech und Schwefel auf den Schiffsplanken.

Millie reißt und zerrt am Fuß, an ihrem Bein. Manno, alle Leute haben das Boot bereits verlassen. Die neue Horde wartet schon in ihren Mäusemänteln darauf, endlich einzusteigen. Wenn sie das schaffen, ist Millie erledigt. Dann muss sie eingequetscht zwischen irgendeiner alten Oma und irgend-einem ollen Opa die ganze Reise noch einmal

machen. Und Mama und Papa weinen sich
dann die Augen aus. Trudel auch.

Was soll sie tun?

Mama schreien? *Papa* rufen? In diesem
Getöse? Am Niagarafall kann man ja sogar
sein eigenes Wort nicht verstehen.

Millie ist ganz schön wütend. Und Wut
macht stark. Sie schafft es, ihren Fuß aus dem
Schuh zu ziehen. Dann bückt sie sich und
packt den Schuh mit beiden Händen.

Ojuijuijui, da pappt ein doppelt gemoppeltes
Kaugummi unter der Schuhsohle, das will
und will nicht loslassen.

Jetzt strömen schon die neuen blauen Mäuse
ins Boot.

Wie das Kaugummi sich zieht! Das ist ja sooo
lang, das hat garantiert so jemandem wie
King Kong gehört. Bestimmt ist es schon
einen Meter lang.

Endlich reißt das alte Ding. Es springt so
plötzlich entzwei, dass Millie auf den Hintern
fällt.

Nun aber schnell!

Millie humpelt zur Anlegebrücke. Ein Fuß im
Schuh und der andere in der Socke.

Weg da! Weg! Millie
muss doch erst
runter vom Boot.
»Mama!«
»Papa!«
Papa kommt schon
ohne das Känguru
zurückgerannt, und
Millie boxt sich
durch die blauen
Mäuse, ganz prima
geht das mit ein
bisschen Wut im
Bauch.

Nun ist Millies Fuß auch noch nass
geworden.

Macht doch nichts.

Oben, an Land, muss Papa Millies Schuh
mit dem Messer bearbeiten. Er schuftet ganz
schön, denn das Kaugummi ist riesig und
uralt, wahrscheinlich stammt es noch von den
alten Indianern, die haben ihre Feinde damit
festgeklebt.

Am sicheren Ufer, wenn man nach links geht,
gibt es eine Bude, wo sie *Hot Dogs* verkaufen,

das sind heiße Hündchen, aber nicht in echt.
So ein Würstchen wollte Millie schon immer
mal probieren. Jetzt hat sie sich eins auf den
Schrecken hin verdient.
Ja, Papa?
Das Hündchen kostet viel Geld, fünf Dollar
nämlich, nix ist drauf und es schmeckt nach
nix. Man kann das nur essen, wenn man
sterbenshungrig ist. So hungrig ist Millie nun
auch wieder nicht.
Wer will das Würstchen haben?
Niemand.
Jetzt können sie einfach so lalalalala nach
Kanada marschieren.
Man muss über eine lange, lange Brücke und
über eine Grenze gehen.
Ausweis.
Pass.
Und ob man lieb aussieht.
Oha, war das mit Kanada wirklich eine so
gute Idee? Alles ist schick. Und alles ist teuer.
Papa tauscht ein paar amerikanische Dollars
um. Damit kann man gerade mal was zu
trinken kaufen. Und eine Ansichtskarte.
Millie hat vergessen, eine Karte an Frau

Heimchen zu schreiben. Ihre Lehrerin soll ruhig mal sehen, wo Millie sich überall rumtreibt und warum sie nach den Ferien immer so viel quasseln muss.

»Sonst glaubt Frau Heimchen noch, ich erzähle bloß Lügengeschichten.«

»Warum sollte sie das?« Papa ist verblüfft. »Flunkerst du etwa hin und wieder?«

»Nicht richtig«, sagt Millie. »Ich mogel nur manchmal ein bisschen. Frau Heimchen hat mich auch schon erwischt.«

»Ja, wobei denn?« Mama macht ebenfalls große Augen.

»Na, ich schreibe manchmal ab«, sagt Millie.

»Millie! Aber wieso denn?«, fragt Mama. »Du sitzt doch neben Kucki. Ich denke, die ist gar nicht so gut in der Schule. Wieso schreibst du also bei ihr ab?«

»Ich schreibe falsch bei ihr ab«, erklärt Millie. »Wenn ich nicht genau weiß, wie es geht, schaue ich auf Kuckis Heft. Und wenn ein Wort bei ihr komisch aussieht, schreibe ich es lieber anders. Dann ist es meistens richtig.«

Millie weiß gar nicht, warum Papa und Mama so ulkig gucken.

So, die Karte ist fertig gekritzelt. *Viele Grüße von Millie*, und Briefmarke drauf.

Diesmal müssen sie von Kanada aus über die lange, lange Brücke laufen. Am Ende sind sie wieder in Amerika.

O du meine Güte, Millie hat vergessen, ihre Ansichtskarte in Kanada in den Briefkasten zu werfen. Was nun? Den langen Weg zurück? Ausweis? Pass? Lieb gucken?

Das machen Mama und Papa nicht mit. Und der Zuckelbus steht auch schon zur Abfahrt bereit.

Mama will morgen im Hotel fragen, ob die nicht jemanden nach Kanada schicken können. Jemanden, der sowieso hinwill. Freiwillig. Vielleicht, weil er dort eine Tante besuchen möchte.

Gute Idee, Mama.

Aber leider machen die im Hotel nicht mit.

»No«, sagt der Mann am Empfang.

No ist eine blöde Antwort. *No* heißt *Nein*.

Aber im Andenkenladen vom Hotel gibt es eine Frau, die sagt, sie will heute Nachmittag noch nach Kanada fahren. Sie wird die Karte mitnehmen. Das ist nett.

Aber ist das auch nicht gelogen? Die Frau sieht aus, als käme sie aus China. Vielleicht fährt sie heute Abend nach China und wirft dort die Karte in den Briefkasten. Und das kann dauern. Bis die Ansichtskarte aus Kanada von Amerika über China zu Frau Heimchen kommt, werden alle denken, dass Millie doch Lügengeschichten erzählt und nie in Niagara war.
Aber bis es so weit ist, will Millie mal lieber der Frau aus China glauben.

Falsche Fälschungen

Langsam neigt sich der Urlaub in New York dem Ende zu. Trotzdem hat Mama noch viel vor. Sie haben nämlich dies und das noch nicht gesehen.

»Dies und das«, sagt Mama, »sind zum Beispiel das Guggenheim Museum und das Museum of Natural History und das Metropolitan Museum of Art.«

Nee danke. Das Oma-Museum hat Millie schon gereicht. Obwohl da ganz lustige Dinge zu sehen waren. Das gelbe Luftballon-Sofa! Und King Kong. Na, der war ja bloß zu hören.

Papa macht einen Vorschlag: »Nur noch ein Museum und dann die Freiheitsstatue und vielleicht zusätzlich Little Italy.«

Hach, hört sich alles langweilig an, bis auf Lilli Killikilli vielleicht. Was könnte das sein?

»Little Italy heißt kleines Italien«, erklärt

Papa. »Da wohnen die meisten Italiener von
New York.«

O ja, da macht Millie mit. Sie liebt
italienisches Eis.

Aber Mama und Papa hören nicht auf Millie.
Sie fangen heute mit dem Kuckucksheim-
Museum an.

Sie nehmen den Bus, na, immerhin, der fährt
und fährt die fünfte Langstraße hoch. Wenn
man das alles laufen sollte! Aua, aua.

Das Museum ist wie ein Schneckenhaus
gebaut. Mit dem Fahrstuhl geht es hoch
und dann wie auf einer Kugelbahn zu Fuß
runter. Das wär was, wenn man hier einen
Roller hätte. Aber so kann Millie nur schlapp,
schlapp, schlapp machen.

Überall auf dem Rundgang im Kuckucksheim stehen Holz- und Pappmodelle von
Häusern. Die haben sie wohl irgendwo im
Kindergarten gebaut. Millie hätte so was
auch basteln können. Man braucht nur ein
paar Zahnpastaschachteln und einige Seifen-
kartons. Dazu leere Klorollen und stinkenden
Klebstoff.

Was?

Das hier haben richtig große Leute
zusammengeklebt?
»Na, ich weiß ja nicht«, sagt Millie.
Seitlich vom Schneckenrundgang kann man
in eine Kuckucksheim-Kammer gehen. Da
hängen Bilder an den Wänden. Klar, dass
Mama sich die ansehen muss.
Millie ist schon in der halben Zeit fertig
damit. Bilder gefallen ihr gut, wenn Witziges
drauf zu sehen ist, wie zum Beispiel *Kleiner
Bär und kleiner Tiger* oder *Pingu*, aber hier
sind nur Leute und Blumen und Bäume
abgebildet, man kann nicht darüber lachen.
Millie muss einmal tief seufzen, damit ihr
Herz wieder ein wenig leichter wird. Und
damit die Wartezeit bald ein Ende hat.
Der Schneckenrundgang sieht ulkig aus. Man
kann gut von einer Seite zur anderen schauen.
In die Tiefe. Und in die Höhe. »Kuckuck.«
Ach ja, deswegen heißt das Museum wohl
auch Kuckucksheim.
Das möchte Millie unbedingt fotografieren.
Ob Papa ihr den Fotoapparat ausleiht?
»Gib mal her«, sagt Millie. »Ich knips euch
von der anderen Seite.«

Papa sagt: »Hier draufdrücken, Millie«, und zeigt ihr den Knipsknopf. »Aber lass die Kamera nicht fallen.«

Millie heißt doch nicht Trudel. Und natürlich weiß sie längst, auf welchen Knopf man drücken soll, um ein Foto zu schießen. Hat sie doch schon mal gemacht!

Nun läuft sie zur gegenüberliegenden Seite vom Schneckenhaus. Mama, Papa und Trudel werden sich auf der anderen Seite ans Geländer stellen. Millie muss nur abdrücken.

»Huhu«, ruft Millie und winkt hinüber. Wie klein die drei durch die Kameralinse aussehen. Ganz niedlich. Knips. Blitz.

Ein Lichterschein, dass man fast erschrecken könnte. Dann rumort es im Apparat, wwwrrr, ganz automatisch geht das. Fertig. Aus die Maus.

Millie wird hier warten, bis die Familie wieder komplett ist.

Da kommt ein Uniform-Onkel auf sie zu. Er beugt sich leicht zu ihr hinunter und sagt was. Ja, ja, ja, aber Millie kann ihn nicht verstehen. Und sie kann nichts sagen. Höchstens *dabbeldu, dabbeldai.*

Der Uniform-Onkel merkt, dass Millie nicht weiß, was er will. Er versucht es mit Zeichensprache und deutet auf den Fotoapparat.

Ach so, der Uniform-Onkel will auch fotografiert werden. Kein Problem, wenn noch ein Bild auf dem Film übrig ist.

Millie reißt die Kamera hoch, zielt auf den Uniform-Onkel und drückt ab.

Knips, Blitz und wwwrrr.

Hat doch alles wunderbar geklappt.

Aber der Uniform-Onkel ist immer noch nicht zufrieden. Er sagt: »No, no, no!«

Schade, das hat Millie nun doch verstanden.

Nein, nein, nein. Er wollte nicht geknipst werden. Hat er aber Pech gehabt. Jetzt wird er auf einem Bild zu sehen sein. Man kann ein Foto ja nicht so einfach aus der Kamera rausnehmen. Oder? Wie soll Millie ihm das klarmachen?

Mama und Papa sind da. Die müssen das nun mit dem Uniform-Onkel regeln. Sie unterhalten sich mit ihm.

Mama sagt in einer Tour: »Sorry«, du meine Güte, »sorry, sorry, sorry.«

Ach, man kann es Mamas Gesicht ansehen, es

tut ihr nämlich sehr Leid, dass Millie geknipst hat.

Warum denn?

Weil man hier im Kuckucksheim nicht foto-grafieren darf.

Zu spät.

Schnell abhauen.

Millie hüpft die Windungen im Schnecken-haus hinunter und Trudel flitzt ihr nach. Sie ist aber zu klein zum Flitzen. Trudel fliegt auf die Schnauze.

»Heulsuse, Heulsuse.«

Das macht Trudel wütend und sie muss noch mehr weinen.

»Tz, tz, tz«, macht Papa und schüttelt über Millie den Kopf.

Aber man kann doch nicht immer lieb sein!

»Krieg ich Popcorn? Krieg ich Limo? Krieg ich so 'ne Zuckerpfeife?« Draußen steht nämlich ein Karren mit buntem Zeugs, ganz tolle Sachen sind dabei.

Aber nix gibt's.

Der Bus fährt jetzt in die andere Richtung, mitten durch ganz Mänhättän. In aller Gemütlichkeit können sie noch einmal die

Wolkenkratzer angucken und Tiffy und das Rockyfell.

Huhu, Eia Popeia!

Kennt Millie alles schon. In New York fühlt sie sich ja fast wie zu Hause.

»Aber was ist das, Mama? Das komische Bügeleisen da?«

Mama ist ganz aus dem Häuschen. »Das ist das älteste Hochhaus von New York. Es heißt Flatiron Building und ist an die hundert Jahre alt. Es wird tatsächlich Bügeleisen genannt, weil es so aussieht. Hast du das gewusst?«

Nä, aber sieht doch jedes Kind!

Jetzt fahren sie endlich durch Lilli Killi-killi. Hier riecht es überall nach Pizza und Spaghetti und Tomatensoße. Millie möchte aussteigen und Hammihammi machen. Und zum Nachtisch ein Eis. Gell, Trudel?

»Lecka«, sagt Trudel.

Obwohl der Bus gerade anhält, bleiben Mama und Papa sitzen. Manno! Erst nach zwei weiteren Haltestellen erhebt sich Papa.

»Aussteigen«, sagt er. »Wir sind in China Town.«

Huch, sie sind direkt in China gelandet.

So schnell geht das in New York. Das ist ja Hexerei.

Millie kann mit einem Mal keine Reklametafel mehr lesen, kein Wort, nicht einen einzigen Buchstaben. Es kleben nur noch chinesische Schriftzeichen an den Wänden.

»Hier im chinesischen Viertel könnten wir versuchen, ein Schnäppchen zu machen«, sagt Mama. Sie ist mordsaufgeregt. »Alles, was echt und teuer ist, gibt es hier in falsch und billig. Wir müssen nur ein bisschen handeln.«

»Was für Fälschungen?«, fragt Papa.

»Na, zum Beispiel eine Armani-Sonnenbrille«, sagt Mama.

»Eine was?«

»Armani«, sagt Mama. »Oder was weiß ich, wie die alle heißen. Bugatti oder Ferrari oder so. Stellen die eigentlich Sonnenbrillen her?«

»Nee«, sagt Papa. »Autos.«

»Von mir aus«, sagt Mama. »Oder brauchst du eine Rolex-Uhr? Aus richtig echtem falschen Gold? Ich kaufe mir vielleicht eine Chanel-Tasche. Für fünf Dollar oder so.«

Es ist ziemlich voll im chinesischen Viertel. Millie hält sich an Papas Hand fest. Ob sie auch etwas aus falschem Gold findet? Oder eine echte falsche Barbie? Für ganz billig? Oh, bitte, bitte.

Papa sagt, er braucht keine Uhr, und Mama hat sich wieder beruhigt. Sie will gar kein Handtäschchen mehr und auch keine Uhr.

»Aber aus Spaß möchte ich schon ein bisschen handeln«, sagt sie. Und schaut sich in den vielen Geschäften um nach Dingen, die sie vielleicht interessieren könnten.

Jetzt hat Mama was gefunden. Es ist doch eine Uhr. Boahhh, ist die dick. Die Uhr hat echtes Glas und viele Knöpfe, die nicht funktionieren.

»Deswegen ist es eine Fälschung«, sagt Mama. »Sie sieht aus wie eine echte Sportuhr mit vielen Funktionen, aber eigentlich zeigt sie lediglich die Zeit an.«

Wenigstens bewegen sich die Zeiger.

Mama verhandelt.

Die Chinesin, mit der Mama spricht, sagt: »Ten«, und hält die Finger beider Hände hoch. Zehn Dollar.

Mama sagt: »Five«, und hält eine Hand hoch. Fünf Dollar.

Die Frau sagt: »Seven«, und schüttelt den
Kopf.
Mama schüttelt auch den Kopf und wieder-
holt: »Five.«
Mama hat einen ganz schönen Dickkopf.
Da stöhnt die Frau tief aus ihrer Mitte
heraus. Sie sieht sehr unglücklich aus, aber
ihr Unglück ist auch falsch. Sie gibt die Uhr
nämlich für fünf Dollar her.
Jetzt weiß Millie, dass fünf Dollar billig ist.
Man bekommt nicht viel dafür. Nur eine
echte Fälschung.
Mama ist glücklich. Ihr Glück sieht echt aus.
Sie legt sich die Uhr gleich um ihr Hand-
gelenk.
Und echt ist auch der Geruch im chinesischen
Viertel. Es stinkt hier nämlich bis zum
Himmel. Alle paar Meter gibt es ein Fisch-
geschäft. Mit echtem Fisch. Echter Fisch
stinkt.
»Guckt doch mal«, sagt Papa und bleibt
stehen.
Mann, ist das ein Gewimmel!
Da liegen frische Fische auf Eis. Dort
glubbert ein Tintenfisch. Im Eimer hocken

tieftraurige Hummer und auf dem Holztisch
liegen große Krebse, die keine Lust haben,
gekocht zu werden. Zwei hauen ab.
Millie und Trudel schauen gespannt zu, wie
sie sich auf und davon machen. Der Holz-
ständer, auf dem sie liegen,
steht nämlich schief. Die
Krebse sind schlau, sie sind
wohl schon erwachsen und
kennen sich aus im Leben.
Sie sind so groß wie Papas
Hände, das ist nicht ohne.
Als ob sie sich verabredet
haben, kriechen die
beiden Krebse gleichzeitig
seitwärts bis zur Kante,
dann lassen sie sich
einfach runterplumpsen.
Nun sieht auch der
chinesische Verkäufer, wer sich da aus dem
Staub machen will. Er schreit, er ruft, aber
die Krebse hören nicht auf ihn. Der Verkäufer
muss auch Fisch verkaufen, er kann die
Krebse nicht gleich einfangen.
Die laufen inzwischen schon die Gasse

entlang. Millie wird sich hüten, dem Fisch-
verkäufer zu helfen. Iii, nee, sie würde sich
auch gar nicht trauen, die Krebse anzufassen.
»Ich drücke die Daumen«, sagt Millie und
formt ihre Hände zu Fäusten.
»Tudelauchdaum«, sagt Trudel. Sie macht es
Millie nach.
»Ich nehme den linken Krebs«, sagt Millie.
»Und du bist für den rechten.«
»Jaha«, sagt Trudel, obwohl sie ja noch gar
nicht weiß, wo links ist und wo rechts.
Sie laufen beide den Krebsen hinterher. Wo
wollen die denn hin?
Oh, jetzt ist es Millie klar, da vorne gibt
es eine Gullyöffnung. Wenn die beiden
Ausreißer es bis dahin schaffen, sind sie
gerettet. Im Gully ist Wasser, das fließt
bestimmt bis zum Meer oder mindestens bis
zum Hatschi-Fluss. Also: weiter Daumen
drücken.
Der Fischverkäufer ist mit dem Verkaufen
fertig. Er saust los, den Krebsen hinterher.
Die haben einen schönen Vorsprung und
rennen können sie auch. Nicht immer
geradeaus, sondern ein wenig ruppelig, mal

nach hier, mal nach da. Sie haben einfach zu
viele Beine. Eins davon gerät ihnen immer in
die Quere.

Jetzt ist der Fischverkäufer schon so nah
an den Krebsen, dass Millie um ihr Leben
bangen muss. Aber Trudel und sie drücken
immer noch so fest die Daumen, dass die
Knöchel bereits ganz weiß geworden sind.

»Los, los, los, los«, feuert Millie ihren Krebs
an und Trudel stampft mit ihren kleinen
Beinchen auf, dass es nur so kracht.

Der Fischverkäufer bückt sich. Ein Schritt
noch, dann hat er die Krebse erwischt. Da ist
der Gully erreicht, in letzter Sekunde.

Der Krebs auf der linken Seite lässt sich fallen.
Und der auf der rechten Seite stürzt auch
hinein. Er klammert sich aber noch mit einem
Bein am Gullygitter fest.

Das darf er nicht!

»Loslassen«, brüllt Millie. »Lass los, du
Döskopp, du!«

Doch dann sind sie gerettet, die Krebse, sie
sind die Sieger des Tages.

Uff, das wäre ja beinahe schrecklich schief
gegangen.

Engel über New York

New York ist nicht bloß wegen New York so
berühmt, sondern auch, weil sich die Welt-
regierung dort befindet. Millie weiß nicht
genau, ob es einen Weltkönig gibt oder einen
Weltpräsidenten oder einen Weltgeneral.
Jedenfalls sind alle Länder dieser Erde dort
vertreten. In einem Haus! Das kann man sich
gar nicht vorstellen. Also müssen sie hin und
das Regierungsgebäude angucken. Es heißt
UNO.
UNO, weiß Millie, ist eigentlich italienisch
und heißt EINS.
Mama sagt: »Millie, es hat nichts mit dem
italienischen Uno zu tun. UNO ist eine
Abkürzung für die Vereinten Nationen.«
Ach, was Mama so erzählt. Man muss sich die
Dinge ja irgendwie vorstellen können. Und
wenn die UNO das Wichtigste auf der Welt
ist, dann ist sie die Nummer eins, eins, eins.

Die Gebäude, die zur Uno gehören, sind
nicht so toll. Keine Metallmütze auf dem
Kopf. Nichts mit Gold an den Fassaden.
Draußen: nur Fahnen, Fahnen, Fahnen. So
viele Fahnen, so viele Länder.
Millie zählt: »Eins, zwei, drei, vier ...«
Sie kommt bis dreiundzwanzig, aber es geht
noch weiter. Bis vierundfünfzig vielleicht?
Für die UNO muss man sich anständig
anziehen. Weil man dort über ernste und
wichtige Dinge spricht.
Dass alle Leute auf der Welt frisches Wasser
trinken dürfen.
Müll abladen überall verboten.
Kein Krieg auf der Welt.
Weil man das alles wichtig nehmen muss,
ist es bei der UNO ein bisschen wie in der
Kirche. Papa hat also wieder seine Krawatte
umgebunden. Mama trägt ihre Stöckelschuhe. Nicht richtig Stöckel, aber höherer
Absatz. Millie hat ihre blaugelben Sandalen
an, die sind auch was Besonderes.
Und Trudel? Ach, es kommt bei Trudel nicht
so genau drauf an. Und es wäre sowieso egal
gewesen, ob sie schick oder nicht so schick

angezogen ist, Trudel darf nämlich gar nicht
in die UNO rein. Weil sie noch keine fünf
Jahre alt ist. Noch lange nicht.
Und wer soll Trudel jetzt hüten?
Papa.
Es gibt aber auch hier draußen für beide
genug zu sehen. Friedensdenkmal und
Fischereihafen. Und wenn es zu lange dauert,
kann Papa ja mit Trudel in ein Museum
gehen.
»Aber kein Eis kaufen, Papa«, sagt Millie.
»Erst wenn ich wieder da bin.«
Pieps, pieps, pieps. Mama und Millie werden
gründlich mit einem Stab durchleuchtet und
abgesucht. So ähnlich wie auf dem Flughafen.
Sie finden hier alles, Schlüssel und Geld-
münzen. Sogar Mamas Sonnenbrille piepst.
Mit piepsenden Sachen kommt man nicht
durch die Kontrolle. Ausgeschlossen! Man
kommt nur mit sich selber rein.
Mama und Millie dürfen mit der Gruppe
zwölf die UNO besichtigen. Wie in einer
Kindergartengruppe. Sie haben auch eine
Kindergartentante, die trägt ein buntes Kleid.
Die Tante sagt, sie ist aus Kenia.

»Wo ist das?«, fragt Millie flüsternd.

»Afrika«, sagt Mama leise zurück.

Ganz schön weit weg, was?

Sie ist ziemlich klein, die Tante aus Kenia.

In der UNO gibt es viele Geschenke zu
begucken. Aber nichts, was Millie gebrauchen
könnte. Dafür sind die Geschenke zu groß.

Ein zierlicher Garten aus Japan.

Ein Wandteppich aus Persien.

Jedes Land schenkt, was es am besten kann.

Italienisches Eis?

Wiener Würstchen?

Und im großen Garten von der UNO ist die
Friedensglocke aufgestellt. Sie hat ein eigenes
Häuschen, das sieht aus wie ein chinesischer
Tempel. Die Glocke wird nur einmal im Jahr
geläutet. Am elften September.

Am elften September?

Das ist doch der Tag, an dem das
Schreckliche mit den Zwillingstürmen
passierte.

»Man hat die Glocke aber schon immer am
elften September geläutet«, sagt Mama.

»Schon vor der Katastrophe.«

Ist das nicht seltsam?

Ja, das ist eine merkwürdige Geschichte.
Nun darf die Kindergartengruppe der
kleinen Tante aus Kenia auch in den riesigen
Versammlungsraum der UNO reinschauen.
Niemand drin.
Leere Stühle.
Mittagspause.
Die Sitzbänke tragen Namensschilder.
Das fängt an mit ALGERIA. Daneben:
ANDORRA. Eine Reihe tiefer steht
UZBEKISTAN.
Was für komische Namen es gibt! Hat Millie
noch nie gehört. Zu Hause wird sie auf dem
Globus nachschauen, ob die Ländernamen
nicht vielleicht ausgedacht sind.
Millie zupft Mama am Ärmel.
»Frag doch mal die kleine Tante, ob sich die
Länder hier zanken dürfen«, flüstert Millie.
»Aber frag auf Englisch, damit sie dich auch
versteht.«
Mal sehen, ob Mama sich traut, in der UNO
den Mund aufzumachen.
Ja, Mama hat gut übersetzt. Alle Leute
schauen Millie an.
Und die kleine Tante antwortet.

»Manchmal streiten sich die Abgeordneten.
Das kann sogar ziemlich heftig werden.«
»Und vertragen sie sich dann wieder?«
»Hinterher geben sie sich die Hand und
gehen zusammen essen«, sagt die kleine
Tante, die ganz stolz auf die UNO ist oder
darauf, dass sie der Gruppe zwölf etwas
erklären darf. Sie trägt den Kopf sehr gerade
auf den Schultern und wackelt nur ein kleines
bisschen damit hin und her, Nase hoch
erhoben.
»Alle Länder sind hier gleichberechtigt«,
erzählt die Tante weiter. »Jedes Land hat nur
eine Stimme, ganz egal, ob es groß ist oder
klein.«
Das ist in Ordnung, findet Millie.
»Aber wenn ein großes Land etwas ganz
wichtig findet und ein kleines Land nicht ...
was dann?«
»Dann wird abgestimmt.«
»Jeder nur mit einer Stimme?«
»Nur eine Stimme.«
»Und umgekehrt?«
»Was meint das kleine Fräulein denn?«
Das kleine Fräulein meint, wenn viele kleine

Länder etwas wichtig finden und ein großes
Land sagt päh, päh, päh, du kannst mich
mal … was dann?
Wenn die Kinder ein Eis möchten und Papa
sitzt auf dem Geld … was dann?
Dann gibt es nämlich kein Eis, so ist das
nämlich.
Und in ihrer Klasse wird auch das gemacht,
was Frau Heimchen will, meistens jedenfalls.
Also, kleine Tante aus Kenia?
Die zieht die Schultern hoch. Ihr fällt keine
Antwort ein. Und alle aus der Gruppe zwölf
lachen. Die haben verstanden, was Millie
meint. Die UNO ist auch nur ein Klassen-
zimmer.
Winke, winke.
Oh, wie draußen die Sonne strahlt. Endlich!
Der Himmel ist so blau, als hätte sich New
York am Ende doch noch für Millie heraus-
geputzt.
Da Papa nicht in die UNO gehen konnte,
darf er sich jetzt etwas wünschen. Was
möchte er noch machen?
Papa überlegt:
Woolworth Building.

Madison Square Garden.

Intrepid Sea-Air Space Museum.

Wofür wird er sich entscheiden?

Will er das Wulliwulli-Hochhaus besichtigen?

Oder lieber in den Medizin-Quä-Garten
gehen?

Oder interessiert ihn das Pittipitti-
Ziehharmonika-Museum?

Alles falsch geraten.

Papa möchte mit dem Hubschrauber über
New York fliegen.

»Bist du von allen guten Geistern verlassen?«
Mama ist entsetzt.

»Aber das wäre ein Traum«, sagt Papa.

»Papa, du musst *bitte* sagen«, rät ihm Millie.

»Gut, wenn du unbedingt willst«, sagt Mama.

»Aber ich werde vor Angst sterben.«

»Du musst ja nicht mitfliegen«, sagt Papa.

»Ich werde nicht mal hingucken können.«
Mama verdeckt jetzt schon ihre Augen mit
der Hand.

»Aber ich würde gerne mitfliegen«, sagt
Millie, ziemlich atemlos. »Das wäre ein
Traum.« Und dann fügt sie noch schnell
hinzu: »Bitte, bitte.«

»Das fehlte mir noch«, sagt Mama.

»Lass doch das Kind«, sagt Papa und marschiert schon los.

Ja, lass doch das Kind!

Zum Flugplatz der Hubschrauber geht's quer durch die Stadt, aber zum Glück mit dem Bus. Huch, das ist ja ein kleiner Flugplatz. Na, ist doch klar, Hubschrauber müssen keinen Anlauf nehmen, um in die Luft zu kommen. Hubschrauber heißen auch Helikopter.

Das Helikopter-Büro ist eine winzige Baracke. Mehr braucht man nicht. Der Hubschrauber ist ja auch winzig. Es passen nur zwei oder vier oder sechs Personen hinein, keine ganze Mannschaft. Nur die Leute, die furchtbar mutig sind. Leute wie Millie und Papa.

»Ich weiß immer noch nicht so recht«, sagt Mama und klammert sich an Trudel fest.

Ach, Mama muss doch wissen, dass Millie fast jeden Blödsinn mitmacht, besonders wenn Papa dabei ist.

Inzwischen sagt Mama bereits: »Gell, Trudelchen, wir beide bleiben schön hier unten und schauen zu, gell, Trudelchen.«

Trudelchen nickt. Sie weiß gar nicht, was sie verpassen wird. Millie hat aber schon so eine Ahnung. Es wird bestimmt das tollste Erlebnis, das sie bisher in ihrem ganzen Leben hatte, wetten, dass … Und es wird bestimmt das Tollste sein, was sie Gus und Wulle zu erzählen hat.

Bevor es losgeht, muss Millie schnell noch mal aufs Klo. Mann, ist sie aufgeregt.

Aber dann müssen sie doch noch ein Weilchen warten, bis ein Hubschrauber landet. Da kommt einer angeflogen. Er sieht nicht viel anders aus als eine Libelle. Kopf, Flügel, Schwanz.

Die Libelle, die da angeschwebt kommt, brummt, dass es einem in den Ohren rauscht. Sie ist über den Hatschi-Fluss geflogen und zielt am Kai auf einen kleinen weißen Kreis. Den Leuten, die bei der Landung helfen, fliegen die Haare vom Kopf. Das ist etwas gelogen, aber sie müssen ihre Baseballkappen wirklich sehr gut festhalten.

Jetzt sind sie an der Reihe. Millie und Papa. Schwimmweste überziehen.

O Mama!

Gib Millie schnell noch einen Kuss.

O Papa!

Hand geben.

Schon wird Millie vom Wirbel der Propeller
fast vom Kai gefegt.

Ist ihr nicht jetzt schon kotzübel?

Aber nein. Papa hält Millie fest. Ihr kann
doch gar nichts passieren.

Einsteigen.

Guten Tag, Herr Flugkapitän. Ach nee, der
heißt ja einfach nur Pilot.

Papa und Millie steigen hinten ein. Millie sitzt
hinter dem Piloten, da könnte sie sich an seinen
Ohren festhalten, falls was passieren sollte.

Wenn ihr richtig schlecht wird. Oder so.

Im Helikopter muss man sich wie in einem
richtigen Flugzeug erst mal anschnallen. Das
ist nichts Besonderes.

Worauf wartet der Pilot noch? Millie legt den
Kopf schief und guckt ihn von der Seite an.

Er trägt Kopfhörer. Das sieht aus, als hätte er
Mickymausohren.

Millie tippt dem Piloten auf die Schulter.

»Was für Musik hörst du denn?«

»Millie!« Das ist Papa.

Ja, ja. Aber man wird doch wohl noch mal fragen dürfen.

Der Pilot hat Millie gar nicht verstanden. Er hat nur darauf geachtet, was aus seinen Mickymausohren kommt. Millie weiß schon: Quatschiquatschiquatschi.

Aber sonst sieht der Pilot aus wie ein Cowboy. Mit schwarzer Lederjacke und glänzenden Stiefeln. Wenn er nicht gerade Hubschrauber fliegt, reitet er bestimmt durch den Wilden Westen. Ja, richtig, Millie hat ihn schon mal im Fernsehen gesehen. Er heißt Robert Rettich oder so ähnlich.

Jetzt drückt der Pilot einen Knopf. Da saust der Propeller aber richtig los, es heult so laut wie alle Polizeiautos, Rettungswagen und Feuerwehrautos in ganz Mänhättän zusammen, nicht zum Aushalten.

Rummel, brummel, grummel. Hände an die Ohren. Man wird doch taub davon, Herr Rettich!

Und dann hebt er ab, der Helikopter. Er steigt einfach hoch in die Luft, schwebt, fliegt, und Millie wird es ganz leicht unterm Po und an den Beinen.

Wie schön das ist. Ganz anders als in einem Flugzeug. Es ist, als könnte Millie selber fliegen, hat Flügel, hat Flügel, fliegt wie ein Vogel.

Hach, Herr Pilot, was drehst du denn für Kurven, Himmel und Hölle noch mal. Da ist nichts mehr unter den Füßen, nur blaue Luft, helles Wasser, das gelbe, das rote, das weiße New York.

Hoch und höher fliegen sie, wrumm und wrumm und wrumm.

Silber, der Hatschi-Fluss, und grün, das Meer.

Und mitten im Meer, unter dem Zipfelchen von Mänhättän, steht eine grüne Tante mit hoch erhobenem Arm.

»Papa?«

»Das ist die Freiheitsstatue, Millie, das ist Lady … oder Miss …«

»Miss Libby?«

»Oder Miss Libby, von mir aus«, sagt Papa. »Lady Liberty.«

Ach, das ist die! Miss Libby! Endlich!

Der Hubschrauber umkreist die Tante. Zum Anfassen nah. Ihr grünes Kleid. Der Arm mit einer Fackel in der Hand. Das Inselchen, auf dem sie steht.

Sie ist riesig.

Nein, sie ist winzig von hier oben aus.

Und dann New York!

New York sieht aus wie auf dem Stadtplan. Alles ist zu sehen. Die Straßen, längs und quer. Die Wolkenkratzer, tief unter ihnen. Millie kennt sie alle. Der Park, so klein wie ein Handtuch, die winzigen Plätze und all die Häuser.

»Siehst du die große Brücke da? Das ist die berühmte Brooklyn-Bridge.«

Ja, Papa.

Gut, dass sie nicht zu Fuß drüberlaufen müssen. Die Bückling-Brücke ist ja so lang wie ein Drachenschwanz. Und ob die Seile halten würden? Die sehen aus wie Bindfäden. Jetzt glühen schon die Lämpchen an den Schnüren auf. Wie Perlenketten. Weihnachts-Lichterketten. Wunderbar!

Was Millie jetzt erlebt! Eine Reise durch den Himmel. Ein Engel über New York.

Flieg, Cowboy, flieg.

Aber dann hummelt und brummelt Robert

Rettich doch zurück. Da ist schon der Kai,
die kleine Baracke, der weiße Kreis. Da sind
auch Mama und Trudelchen, Mama groß,
Trudel klein.

Aussteigen, bücken.

Papa die Hand geben.

»Wie war's?«, fragt Mama und legt die Hand
auf ihr Herz. »Wie war's?«

»Schön«, sagt Millie.

Aber es war noch viel schöner als schön, wie,
das kann man nicht sagen, das kann man nur
fühlen.

Die grüne Tante

Und jetzt machen sie endlich das, worauf
Millie schon ewig gewartet hat.
Jetzt geht's endlich zu Miss Libby.
Man muss mit dem Schiff hinfahren. Mit
einer Fähre, die so ähnlich aussieht wie Miss
Nebel.
Miss Libby steht mitten im Meer, dicht vorm
Zipfelchen von Mänhättän. Das hat Millie
schon vom Hubschrauber aus gesehen. Die
Freiheitsstatue grüßt die Ankommenden mit
erhobenem Arm, hallo, hallo.
Je näher man der Insel kommt, auf der sie
steht, desto größer wird die grüne Tante,
meine Güte, bei schlechtem Wetter wird sie
auch die Wolken kratzen. Wenn nicht mit der
Hand, dann bestimmt mit der Fackel.
Miss Libby steht auf einem Sockel. Dort ist
ein Spruch eingehämmert.
»Mama, übersetz mal.«

O ja, es ist ein schöner Spruch, ein Gruß an alle Leute, die hierher kommen. Der Spruch sagt ganz was Wichtiges, etwas, das Millie gut versteht und ungefähr so lautet: *Lasst die zu mir kommen, die schrecklich müde sind und sich ganz jämmerlich fühlen, weil sie immer das machen müssen, was sie eigentlich gar nicht tun wollen.*

Millies Herz wird ganz weit, als sie das hört. Ihr ist, als wüsste Miss Libby, wie es ihren Füßen geht. Der Spruch ist ein bisschen wie pusten, das heilt die Wunden.

Man kann in den Bauch der grünen Tante klettern. Es gibt viele Treppen und man muss aufpassen, dass man die richtige erwischt, nämlich die, die nach oben führt. Es gibt auch Treppen, die wieder abwärts gehen, vom selben Stockwerk aus.

Und woher weiß man, welche Treppe die richtige ist?

»Du musst die Schilder lesen«, erklärt Mama. »*Up*, da geht es hoch, und die andere Treppe geht *down*, also runter. Wir müssen jetzt hoch, hoch, hoch. Das ist *up*.«

Hat Millie kapiert.

App, app, app, das werden über dreihundert-
fünfzig Stufen sein. Mannomann.
Auf den Gängen zwischen den Treppen sind
Seile gespannt, damit alle wissen, wo's lang-
geht. Die gedrehten Seile sind mit einem
komischen silbernen Verschluss in eine Öse
gehängt.
»Das ist ein Karabinerhaken«, sagt Papa. »Der
geht nicht so leicht auf.«
Hört sich toll an.
Der Karabinerhaken sitzt entweder an einem
Pfahl oder ist in die Wand gebohrt. Solange
er festsitzt, ist das Seil gespannt. Es hält die
Leute davon ab, vom Wege abzukommen.
Das dürfen die auf keinen Fall.
Sämtliche Besucher von New York wollen
heute Miss Libby besuchen. Ja, Lady Liberty,
das hört sich vornehmer an. Die Menschenschlange auf dem Treppenabsatz sieht aus wie
der Drachenschwanz der Bückling-Brücke,
so lang und so kringelig. Da heißt es wieder
einmal warten, warten, warten.
Wenn es Millie langweilig wird, muss sie was
unternehmen. Man kann ja nicht einfach
nur rumstehen oder wie eine Schnecke

voranschleichen. Das hält ja kein Mensch aus. Man hält das nur aus, wenn etwas passiert. Millie schaut sich so einen Karabinerverschluss mal genauer an. Das ist vielleicht ein mächtiges Ding. Ob er schwer zu öffnen ist?

Millie möchte das zu gern rauskriegen. Sie zieht ein bisschen am Haken, nur ganz sachte, sie will ja bloß mal probieren, aber, huch, das geht ja ganz leicht, schon gleitet das dicke Seil auf den Boden. Nun weiß keiner mehr, wo es *app, app, app* geht und keiner, wo geht's *daun, daun, daun*, alles gerät durcheinander. Das ist lustig. Millie schaut Trudel an und kichert. Vielleicht hat Trudel mitbekommen, was Millie gerade gedreht hat. Vielleicht auch nicht. Aber wenn Millie ihren Spaß hat, lacht Trudel mit. Gell, Trudel, man braucht doch ein bisschen Spaß zwischen all den ernsten Leuten hier.

Der Spaß dauert nicht lange, schade. Ein Sheriff kommt. Er trägt einen Cowboyhut und hat einen Pferdeschwanz. Der Sheriff bringt alles wieder in Ordnung und zeigt den Leuten, wo *up* ist und wo *down*.

Jetzt stecken sie schon mitten im Bauch von Miss Libby, man kann die Kleiderfalten gut erkennen, die Freiheitsstatue ist eine Dickmadam. Alle Falten sind innen mit Strumpfbändern zusammengeschnürt, sodass die Tante nicht platzen kann. Die Strumpfbänder sind aus Stahl, keine Angst.

Es wird enger und enger, je höher man kommt. Man muss sich quetschen. Und die Treppe ist nun keine normale Treppe mehr, sondern eine Wendeltreppe, aber wie.

Und was ist da vorne los?

Kein Schritt vorwärts, kein Schritt zurück.

Ist die Nase der grünen Tante etwa verstopft?

Nee, es ist was anderes.

Eine Frau auf der Treppe *app, app, app* ist zu dick. Sie kommt nicht weiter und muss zurück. Sie kann sich nicht mal umdrehen, sie geht rückwärts die Treppe bis zum nächsten Podest hinunter. Alle Leute auf diesem Teil der Wendeltreppe müssen auch zurück. Phhh, die Frau hätte sich nach dem Mittagessen mal messen sollen.

Jetzt ist es aber bald geschafft. Sie müssten ungefähr bei den Nasenlöchern der grünen

Tante sein, ja, da sind schon die Augen, und
da sind die Gucklöcher, oben auf dem Kopp
in der Frisur von Lady Liberty.

Die Gucklöcher sind mit dickem Glas gefüllt.
Über diesen Fenstern trägt die Tante noch
einen Strahlenkranz, da kann man aber nicht
mehr hin.

»Darf ich schnell ein Foto machen?«, bittet
Millie.

Das muss sie zu Hause zeigen, damit jeder
weiß, dass Millie nicht lügt, wenn sie von
Miss Libby erzählt.

Da vorne, da unten, ganz fern ist das Meer.
»Und dahinter siehst du die berühmte Skyline
von New York.« Papa zeigt mit dem Finger in
die Weite.

Die Skeileilein? Ach ja, das ist die berühmte
Himmelslinie, die man fast auf jeder Ansichtskarte von New York sehen kann. Sie sieht aus
wie eine Hüpf-Linie im Rechenheft, Kästchen
rauf, *app*, Kästchen runter, *daun*, Kästchen
rauf. Manchmal gehen auch drei Kästchen auf
einmal hoch, *app, app, app*.

Und hier, knips, knips, direkt vor dem Guckloch, ist der Arm von Lady Liberty zu sehen,

der mit der Fackel in der Hand. Mann, ist der Arm dick. Bestimmt hat die grüne Tante mal Bodybuilding gemacht. Solche Muckis!

Pfeffer und Salz

Inzwischen kennt sich Millie in New York prima aus. Sie weiß, wie viele Straßenblocks man bis zum Busbahnhof laufen muss. Dreizehn Ampelkreuzungen überqueren! Dreizehnmal *Woak*.

Quoak, quoak.

Sie weiß auch, dass der *Broadway*, der berühmte Brotweg, sich sechsundzwanzig Kilometer hinzieht. Das muss man glauben, das braucht man nicht abzulaufen, nein danke.

Zum Stadtpark, dem *Central Park*, ist es nur ein Klacks, lalalalala, und die *Music Hall* liegt um die Ecke. Mit verbundenen Augen würde Millie den Weg zum Hatschi-Fluss finden, dem *Hudson River*. Sie würde sich nicht verlaufen, wie es Mama am Anfang passiert ist.

Jetzt wird es Zeit zu packen.

Aber halt!

Hat Millie nicht doch noch was vergessen?

Papa sieht sie mit gerunzelter Stirn an.

»Na, Millie?«

Millie hat gehofft, dass Papa nicht mehr daran denken würde. Sie selber hat Tag und Nacht daran gedacht, dass sie den Salzstreuer wieder zurückbringen soll. Mensch, wie peinlich das ist!

Heute Morgen werden sie extra deswegen bei Meckimeck frühstücken.

»Ich hätte ja lieber eine Bärenpfote gegessen«, sagt Millie. »Bitte, Mami, bitte. Es ist doch der letzte Tag.«

»Du hast doch gehört, was Papa gesagt hat.« Mama ist unerbittlich.

Ja, Millie weiß schon, warum das so wichtig ist. Damit Millie was draus lernt! Damit sie nie mehr etwas mitnimmt, was anderen gehört. Das weiß Millie doch schon längst. Aber bei Meckimeck stehen so viele Salzstreuer herum. Wenn einer fehlt, merkt das sowieso keiner. So ein Fässchen kann sogar einfach vom Tisch fallen und kaputtgehen. Gibt es dann auch so ein Theater?

Ach, Millie weiß schon, dass das alles nur Ausreden sind, und die gelten nicht. Mit ihr sind einfach die Pferde durchgegangen. So war das!

Bevor es zu Meckimeck geht, wollen sie noch einen Spaziergang zum Wald-Doof-Hollodria machen. So weit weg ist das gar nicht. Und die Koffer sind schon gepackt.

Mama sagt: »Ich möchte doch zu gern wissen, was wir verpasst haben. Ich wollte doch eigentlich das Waldorff Astoria buchen.«

Ja, wenn da nicht der blöde Druckfehler im Katalog gewesen wäre.

Ssssss, runter mit dem Fahrstuhl.

In der Hotelhalle sitzen immer Leute, die Kaffee trinken oder nichts zu tun haben. Vorne am Empfang warten die Hoteldamen und Hotelherren in schicken dunkelblauen Anzügen auf neue Gäste.

»Can I help you?«

Das kann Millie schon auswendig. Es ist so wichtig, dass man Hilfe angeboten bekommt, wenn man das erste Mal in einem fremden Land ist. Es ist nett und es macht einem das ängstliche Herz leicht.

Vor dem Empfang steht nur ein Gast. Er ist neu angekommen.

Millie traut ihren Augen nicht.

Was ist denn das für ein Gast?

Nein, es ist nicht King Kong.

Es ist auch nicht Kucki oder der Uhu.

Es ist ein echter Indianer.

Millie sieht das sofort. Nicht, dass er Federn auf dem Kopf trägt oder einen Anzug anhat mit Lederfransen. Nein, dieser Indianer trägt einen ganz normalen Anorak und eine Stoffhose. Seine Nase ist scharf gebogen und seine Augen sind dunkel und durchdringend.

Aber das ist es nicht.

Was ist es denn?

Es gibt etwas, das unterscheidet ihn von allen anderen Leuten, die Millie in ihrem Leben gesehen hat. Er hat nämlich zwei unendlich lange Zöpfe. Die reichen ihm links und rechts vom Kopf herunter bis zu seinen Knien.

Oh, Millie kann gar nicht wegsehen. Und gerade heute, wo sie abreisen muss, zieht der Indianer ein. Vielleicht würde er neben ihnen wohnen und zur Eismaschine laufen, gerade wenn Millie sich auch ein paar Eiskügelchen holen wollte.

Was hätte sie Gus und Wulle alles zu erzählen!

Wie der Indianer direkt aus dem Wilden Westen nach New York gekommen ist.

Wie er sein schwarz-weiß-braun gesprenkeltes Pferd in der Empfangshalle angebunden hat.

Wie stolz er die Adlerfedern auf dem Kopf getragen hat. Und eine Friedenspfeife hatte er im Mund.

Sein Pferd hörte auf den Namen Old Schätterhänd. Und der Indianer hieß Herr Winnetuh, Mister Winnetuh.

Nein, so kann Millie das nicht erzählen. Weil es ganz anders ist. Sie wird die Wahrheit sagen. Es ist schon toll genug, dass mitten in New York Mister Winnetuh einfach in das Hotel einzieht, in dem Millie gewohnt hat. Und niemand guckt sich nach dem Indianer um. Außer Millie. Bis Mama sie am Arm zieht und zischelt: »Millie, man starrt andere Leute nicht so auffällig an.«

Also hat Mama den Indianer auch gesehen. Aber für sie ist das inzwischen schon ganz

normal. All die unter-
schiedlichen Leute
hier. Ob das nur in
Amerika so ist?
Draußen fegt ein
frischer Wind durch
die breiten Straßen.
Sie laufen dagegen
an. Das macht die
Gedanken frei.

»Und du glaubst, die lassen uns im Waldorff
Astoria einfach so hinein?«, fragt Papa.

»Ja, warum denn nicht?«, meint Mama. »Ich
will es mir doch nur anschauen.«

»Mit zwei kleinen Kindern? Die werden doch
denken, dass mit uns etwas nicht stimmt.«

»Wieso?«, fragt Mama zurück. »Was soll denn
mit uns nicht stimmen?«

»Wir passen da nicht rein«, sagt Papa. »Ich
habe keinen Anzug an. Nicht mal eine
Krawatte trage ich. Und schau dich an. Keine
Stöckelschuhe. Keine goldenen Ohrringe.
Kein Kleid von Tiffany.«

»Bei Tiffany gibt es keine Kleider«, sagt
Mama und lacht.

»Du weißt, was ich meine«, sagt Papa.

»Wir haben nicht das nötige Kleingeld fürs
Waldorff. Das merken die sofort.«

»Ich habe fünf Dollar«, sagt Millie. »Und wie
viel habt ihr? Wir könnten doch zusammen-
legen.«

»Das reicht nicht fürs Waldorff«, sagt Papa.

»Überhaupt …«, sagt Mama. »Fürs Angucken
muss man nicht bezahlen.«

Na, das stimmt nicht überall. Im Museum
muss man nämlich fürs Anschauen blechen.
Was ist denn so Besonderes am Wald-Doof-
Hollodria?

Dass es so teuer ist?

Dass es so vornehm ist?

»Elizabeth Taylor hat dort gewohnt«, erzählt
Mama. »Und Frank Sinatra hatte da seine
Auftritte.«

Millie kennt beide nicht, weder Lisa Teller
noch Fränkie Nase. Ist ihr schnurzpiepegal.
Von außen sieht das Hotel ziemlich normal
aus.

Treppe hoch. Durch die Drehtür laufen.
Vorsichtshalber schleicht Millie drinnen
auf Zehenspitzen über die Teppiche. Ja, so

laufen die vornehmen Prinzessinnen. Ganz bestimmt.

Ein bisschen sieht es im Wald-Doof-Hollodria aus wie in einem Schloss. Alles ist so schnörkelig. Die Wände, die Glasvitrinen, die Säulen und die unzähligen Tische und Stühle. Die Teppiche haben keine Affengesichter, sondern Kringel mit eingewebten bunten Ranken. Und die Damen, die in der Mitte der Eingangshalle sitzen und Kaffee trinken und Sahnetorte essen, die sind ebenfalls ganz blumig. Sie tragen Rosenkleider und Lilienblusen und Efeuröcke.

Die Damen haben aufgedrehte Lockenfrisuren. Die meisten von den Ladys sind alt und älter. Vielleicht haben sie schrecklich lange warten müssen, bis sie das nötige Kleingeld zusammenhatten, um hier Torte essen zu können. Torte zum Frühstück! Darf man das?

Ach, im Wald-Doof-Hollodria kann man anscheinend alles machen. Papa, Mama und zwei Kinder dürfen einfach durch das Hotel laufen, hierhin und dahin schauen.

Gold und Silber.

Man darf die Ladys betrachten, über die bunten Teppiche marschieren und die Marmorsäulen anfassen. Keinen kümmert das. Auf der Rückseite vom Hotel geht es hinaus. Millie dreht eine extra Runde mit der Drehtür. Drehtüren sind lustig, die lassen einen fast gar nicht mehr raus aus dem Haus. Trudel will auch Karussell fahren. Aber Papa hat die Schwester fest an der Hand, und bevor sie lauthals jammern kann, sind sie endgültig draußen.

»Und?«, fragt Papa. »Was hatten wir nun davon?«

»Nächstes Mal werde ich gar nicht erst versuchen, hier unterzukommen«, sagt Mama. »Selbst wenn sie Sonderangebote machen zu Schnäppchenpreisen.«

Klar, Mama bräuchte dann nämlich eine schreckliche Lockenfrisur und viele neue Blumenkleider.

Nun aber weiter. Erst mal die teure fünfte Straße ein Stückchen runtermarschieren, dann lieber durch die siebte oder achte Straße hindurch. Dort gibt es viele kleine Geschäfte. Kein Gold und kein Silber.

»Und was ist mit Barbie?«, fragt Millie.

»Andenken?«

»Hm«, macht Papa.

»Hmhm«, macht Mama.

»In der achten Straße?«, fragt Papa. »Man hat uns gewarnt. Die Sachen sind zwar billig, aber irgendetwas stimmt mit ihnen nicht.«

»Was denn?«, fragt Millie.

»Zum Beispiel Radios«, sagt Papa. »Von außen sehen sie aus wie neu, aber das Innenleben ist alt.«

»Kabel und so?«

»Ja«, sagt Papa. »Transformatoren und das ganze technische Zeug.«

So, so. Aber bei Barbies ist das anders, sie brauchen keine Tanztommy-Ohren und so 'n Zeug. Innendrin ist nur Luft. Das macht Millie nichts aus, wenn die alt sein sollte.

»Und wir könnten auch noch einen Ken kaufen«, schlägt Millie vor. »Ken ist der Freund von Barbie. Am besten, wir kaufen eine Barbie für mich und Ken für Trudel. Dann würden wir zu Hause immer Vater, Mutter, Kind spielen. Ich bin Barbie und Ken ist mein Mann. Und Trudel ist das Kind. Sie

darf keine Dummheiten machen. Ja? Miss
Mami? Ja? Papilein?«
»Okay«, sagt Miss Mami. »Aber erst auf dem
Rückweg.«
Juchhu!
Thank you very much.
Aber vorher kommt ja noch was auf Millie zu.
Ojemine, wären sie doch nur im Wald-Doof-
Hollodria geblieben! Millie hätte sogar ganz
still und artig am Tisch gesessen. Denn jetzt
kommt das Schlimmste.
Jetzt kommt das mit dem Salzstreuer.
Bei Meckimeck brutzeln schon die leckeren
Pommes und die knusprigen Braunies und
das goldgelbe Rührei, das Papa so gern
zum Frühstück isst. Trudel bekommt große
Augen. Mama freut sich auf den Kaffee und
das dänische Quarkstückchen.
Aber Millie ist schon ganz schlecht.
Draußen auf dem Glitzerplatz vergnügen
sich die Leute. Sie spielen Räuber Nick und
bewundern die Reklame und die riesige Cola-
Flasche. Oder sie flitzen auf Turnschuhen mit
vollen Kaffeebechern durch die Gegend.
Alle Leute sind fröhlich.

Nur Millie nicht.

Sie weiß nur zu gut, was sie zu tun hat. Und am liebsten würde sie es nicht tun.

Papa balanciert das volle Tablett nach oben in den ersten Stock. Trudel hopst an Mamas Hand die Treppen rauf.

Millie schleicht hinterher.

Hat sie nicht vielleicht den Salzstreuer im Hotel liegen gelassen?

Nein. Leider nicht. Millie weiß genau, dass er in ihrem Rucksack liegt.

»Wo wollen wir sitzen?«, fragt Papa und sieht sich suchend um.

Hinten in der Ecke, Papa.

Papa stellt das Tablett ab. Mama besorgt Servietten und Strohhalme. Holzstäbchen, um den Kaffee umzurühren. Zuckerstückchen für die Schleckermäulchen.

Millie hat gar keinen Appetit. Die Zunge klebt ihr am Gaumen, so trocken ist ihr Mund geworden.

»Na, Millie?«, sagt Papa und meint damit, dass sie mit der Sache beginnen soll.

Zu blöd auch. Papa weiß wohl gar nicht, was für Nerven das kostet.

Millie sieht sich um. Tausend Salzstreuer
stehen hier herum. Auf manchen Tischen
stehen sogar drei. Und dazu noch die vielen
Pfefferstreuer. Mama schaut sie auch schon
ganz sehnsüchtig an.
Millie seufzt einmal tief.
»Aber alle wegucken«, sagt sie. »Sonst kann
ich es nicht.«
»Ist gut, Millie«, sagt Mama.
Papa brummt zwar ein bisschen, aber er sieht
auch weg.
Millie holt ihren Rucksack vom Rücken
und öffnet den Verschluss. Da liegt das Salz-
fässchen, schön eingepackt in die weiße
Meckimeck-Serviette.
Guckt auch keiner?
Keine Mama, kein Papa, keine Trudel?
Kein anderer Mensch?
Niemand sieht zu. Alle kaufen und mampfen
und schmatzen und schlürfen,
was das Zeug hält.
Was Millie macht, interessiert
wirklich keinen.
Millie braucht jetzt nur in
den Rucksack zu greifen und

den Salzstreuer auf den Tisch zu stellen. Das wäre ganz leicht. Dann wäre alles so wie nicht passiert.

Wo soll Millie denn das weiße Fässchen hinstellen? Am besten neben einen der hellbraunen Pfefferstreuer.

Salz und Pfeffer gehören zusammen.

Pfeffer und Salz.

Wie Mama sich gefreut hätte, so ein Zwillingspärchen zu Hause zu haben. Salz und Pfeffer. Pfeffer und Salz.

Sie würde immer an New York denken, immer und immer und immer. Und alle würden sich freuen, jedes Mal, wenn sie die Streuer benutzen. *Weißt du noch ...* würde Mama sagen. *Weißt du noch ...*

Salz und Pfeffer braucht man jeden Tag. Für Tomatensalat, Gulasch, Bratbällchen und für Hühnersuppe. Für Papas Rührei. Und dabei würden sie immer an New York denken.

So wäre das nämlich.

Millie kann gar nicht mehr richtig denken.

Sie kann auch gar nicht mehr richtig gucken.

Die Welt ist plötzlich voller Salz- und Pfefferstreuer.

Und dann ist mit einem Mal alles ganz einfach und klar. Denn schließlich ist es genauso schwierig, einen Salzstreuer unbemerkt auf den Tisch zurückzustellen wie nach einem Pfefferstreuer zu greifen, ihn in eine Serviette einzuwickeln und im Rucksack zu verstauen, ohne ertappt zu werden.

Es geht alles wie von selbst. Eine Hand zielt auf den Pfefferstreuer, die andere greift nach einer Serviette.

Millies Finger umschließen das Fässchen. In null Komma nichts ist es eingepackt und im Rucksack verschwunden.

Salzfässchen schmiegt sich an Pfefferfässchen. Beides gehört zusammen.

Dann holt Millie nach langer Zeit wieder Luft. Ihre Augen können ganz klar sehen. Alles ist gut.

»Na, Millie?«, sagt Papa. »Hast du deine Arbeit erledigt?«

»Hmhm«, macht Millie und greift nach einem Braunie.

»Lecka«, sagt Trudel.

Millie lehnt sich zufrieden zurück auf ihrer Sitzbank im Meckimeck. Es ist schon komisch

mit dieser Stadt. New York ist überall.
Draußen auf dem Glitzerplatz in echt, dann
haben sie die Stadt hier drinnen noch an die
Wände gemalt. Und auf der ganzen Welt
gibt es die Ansichtskarten und Fotos von der
berühmten Skeileilein, der Himmelslinie:
Skyline, ja, ja, ja.
Und schließlich ist New York noch in den
Herzen der Leute. Das geht gar nicht anders.
Millie ist sich ganz sicher, dass es zu Hause
wegen Salz und Pfeffer nicht allzu viel
Krach gibt. Ein bisschen schon. Darauf ist
sie vorbereitet. Aber erstens wird Mama
sich doch freuen. Und zweitens können sie
ja wieder nach New York fliegen, um die
Fässchen zurückzubringen. Das würde Millie
schon übermorgen machen. Sogar allein.
Kein Problem. *Can I help you?* Vielen Dank.
Herzlich willkommen. Wellenkamm. Millie ist
ja in New York schon zu Hause.

36 Mattenweg   7pm Fritag
Pfel